p

comme

papier

Des jolis projets faciles
en papier découpé,
plié, collé…

Christine Leech

Traduit de l'anglais par Eve Vila
Photographies de Keiko Oikawa

EYROLLES

Sommaire

AU MENU !

Introduction

Quand on m'a proposé d'écrire cet ouvrage, j'ai été immédiatement séduite. En tant que graphiste et illustratrice, j'ai toujours utilisé le papier, que ce soit pour des collages géants, des maquettes ou des carnets de croquis faits maison. Aussi loin que je me souvienne, le papier m'a toujours accompagnée : «Un cadre rococo» (voir p. 98-101) est l'adaptation d'une création que j'ai réalisée en classe préparatoire et, lors des fêtes de mon école, je vendais déjà des minicarnets en papier (voir p. 38-41) !

Mon intérêt ne se limite pas au papier vierge. Parmi mes odeurs préférées il y a bien entendu celle des livres fraîchement imprimés. D'ailleurs, je hume souvent les pages d'un livre avant même de regarder son contenu (ce qui m'a valu plus d'un regard étonné en librairie). J'adore les papiers imprimés. J'en ai toute une collection qui va des tickets de bus vintage au papier d'emballage alimentaire. Je garde mes trésors dans une boîte en attendant de trouver le projet qui les mettra en valeur. Je n'aurais pu rêver mieux pour ceux qui figurent dans cet ouvrage.

Depuis quelques années, l'art du papier connaît un véritable engouement. Les passionnés de scrapbooking et de cartes de vœux sont de plus en plus nombreux. Même si des papiers toujours différents, des nouvelles colles et des cutters encore plus maniables inondent les rayons, j'ai veillé à ce que les projets ne nécessitent que quelques outils basiques. J'ai aussi fait en sorte que tout le monde y trouve son bonheur : si vous recherchez des décorations originales, faites votre choix parmi les multiples guirlandes proposées ou essayez «Les rosettes géantes» (voir p. 102-105).

Effet garanti pour une fête ou un mariage. À ce propos, le bouquet d'anémones et de camélias en papier crépon (voir p. 46-49) vous accompagnera longtemps après cette journée inoubliable !

Mon inspiration se nourrit de tout ce qui m'entoure. Quand on m'a confié cet ouvrage, j'étais dans un ranch aux États-Unis. Là-bas, j'ai observé les animaux, la nature… Tout cela m'a beaucoup inspirée : ainsi sont nés les projets «Les animaux du Colorado» (voir p. 14-17), «Des rennes dans le salon» (voir p. 84-85) mais aussi «Un mobile à plumes» (voir p. 86-89).

Alors, quelles que soient vos envies, amusez-vous, mais prenez garde à vos doigts !

Christine

Le Kit de base

Mes cutters, mes porte-mines, ma règle en métal et ma gomme
sont bien rangés dans une boîte en métal. En revanche, tout
le reste de mon matériel se trouve en désordre dans un tiroir !
Un jour, je consacrerai une pièce entière à mon travail et elle sera
merveilleusement organisée. Un jour, c'est sûr, mais ce n'est pas
encore pour aujourd'hui.

POUR DÉCOUPER

DES CISEAUX Vous aurez besoin d'une paire de gros ciseaux bien coupants pour découper plusieurs feuilles à la fois, de petits ciseaux adaptés aux motifs plus minutieux, et de plusieurs ciseaux à cranter de formes variées pour créer des bordures fantaisie. Ne mélangez pas les ciseaux de couturière avec ceux que vous utilisez pour le papier : les ciseaux à papier ne conviennent pas bien au tissu et les ciseaux pour tissu s'émousseraient.

DES CUTTERS Au collège, j'ai pris l'habitude de me servir de scalpels chirurgicaux avec une lame 10A, et, à ce jour, ces instruments restent mes préférés. Il existe une multitude de cutters sur le marché : certains ont des lames sécables et rétractables, d'autres sont en forme de stylo pour offrir une meilleure prise. Choisissez celui qui vous convient le mieux, puis entraînez-vous à découper des lignes droites et des courbes. Travaillez toujours sur un tapis de découpe, jamais directement sur la table. Avec un cutter à lame rétractable ou un Stanley, vous pourrez découper des motifs plus grossiers ainsi que du carton et du papier épais. Un cutter rotatif sera également utile pour certains modèles.

UN TAPIS DE DÉCOUPE Utilisez toujours un tapis de découpe lorsque vous vous servez d'une lame. Sa surface antidérapante maintient le papier et elle est souvent autocicatrisante, ce qui prolonge considérablement sa durée de vie. Sur la plupart des tapis, vous trouverez des repères de mesures bien utiles. Si la feuille de papier dépasse du tapis, glissez dessous un support que vous ne craignez pas d'abîmer.

DES PERFORATRICES De la simple perforatrice de bureau aux plus élaborées qui permettent à la fois le découpage et l'embossage, il existe de nombreux moyens de découper des formes. Pour les réalisations de cet ouvrage, j'ai volontairement limité leur nombre. Ainsi, vous n'aurez besoin que d'une simple perforatrice de bureau et d'une autre en forme de cercle de 5 cm de diamètre. Des perforatrices en forme de fleur de 8 cm et 5 cm vous seront utiles, mais vous pourrez tout à fait découper ces formes aux ciseaux, ce sera juste un peu plus long.

POUR ATTACHER ET COLLER

UNE AGRAFEUSE Un simple modèle fera l'affaire. J'ai toujours eu envie d'une agrafeuse longue portée, comme celles qui permettent le brochage, mais je n'en ai jamais eu véritablement besoin. Une petite agrafeuse vous servira parfois à attacher les angles plus étroits.

DE L'ADHÉSIF EN AÉROSOL Ce type de produit permet de recouvrir le papier d'une couche de colle homogène et fine, permanente ou repositionnable. Veillez toujours à pulvériser la colle dans un espace bien ventilé et à tenir la bombe à au moins 20 cm de la surface du papier. Faites des mouvements rapides et recouvrez le papier de manière uniforme. Si vous vaporisez la colle sur du papier fin, ne restez pas trop longtemps au même endroit, car elle pourrait traverser la matière. Pour coller du papier sur une surface cartonnée, pulvérisez la colle au dos du papier et non pas sur le carton, car la colle pourrait ne pas sécher et le résultat serait désastreux.

DES BÂTONNETS DE COLLE Peu salissants, ils sont parfaits pour le papier. Les extraforts marchent aussi avec le carton. Vous pouvez en trouver des colorés qui deviennent transparents en séchant, bien pratiques si vous ne voulez recouvrir qu'une partie de la feuille et voir où vous en avez déjà mis.

LA COLLE PVA (abréviation d'acétate de polyvinyle) est aussi connue sous le nom de «colle blanche» ou «colle à bois». Très forte et résistante à l'eau, elle devient incolore en séchant. Elle convient parfaitement aux grandes surfaces de carton et de papier. Elle s'applique en couches minces à l'aide d'une spatule ou d'un morceau de carton. Pour obtenir une texture malléable, au séchage plus lent, (idéale pour la reliure), diluez-la avec de l'eau. Une fois sèche, elle s'enlèvera très facilement en cas de débordements.

LES PASTILLES ADHÉSIVES (OU GLUE DOTS) De nombreux adhésifs arrivés récemment sur le marché facilitent le travail du papier. Les Glue dots en font partie. Ces pastilles de plusieurs tailles, plates ou en relief, sont vendues en rouleaux ou en feuilles.

LES FEUILLES DE TRANSFERT DE COLLE Pour les toutes petites surfaces, ces feuilles remplacent parfaitement l'adhésif en aérosol. Il s'agit de feuilles recouvertes de colle. Quand on pose le papier sur la face collante, la colle est transférée sur le papier qui devient alors adhésif sur ce côté.

LE PISTOLET À COLLE Qu'il soit à colle chaude ou froide, il fait fondre les bâtonnets et les transforme en un adhésif liquide à séchage rapide. Il convient bien au carton et aux embellissements. Faites attention aux brûlures avec la colle chaude !

LE RUBAN ADHÉSIF DE MASQUAGE Cet adhésif beige, à base de papier, est facile à déchirer, à retirer et à repositionner. Grâce à sa texture un peu élastique, il est particulièrement adapté à la fabrication de charnières en carton.

L'ADHÉSIF DOUBLE FACE Bien qu'extrafort, il n'est pas salissant et il colle instantanément. Il est vendu en ruban plus ou moins large. Je préfère utiliser un ruban plutôt étroit, car chaque fois que j'ai privilégié un ruban large, j'ai dû redécouper des bandes plus étroites.

LES RUBANS ADHÉSIFS EN PAPIER WASHI Ils allient la beauté des papiers de riz japonais à l'adhérence du ruban de masquage. Ils seront parfaits pour vos papiers cadeaux ou pour fixer des photos aux murs si vous en avez assez du banal adhésif transparent ou des vieilles punaises.

LE GAFFER Il s'agit d'un ruban adhésif résistant et très collant, fabriqué à partir de coton. Il se découpe très facilement une fois qu'on a le coup de main – que je n'ai toujours pas en ce qui me concerne ! Idéal pour assembler de grands morceaux de carton.

POUR MESURER

DES RÈGLES Avec un cutter ou un scalpel, la règle en métal est indispensable. Je ne compte plus les règles en plastique entaillées aux endroits où le cutter a dangereusement dévié de sa trajectoire. Optez pour une règle en métal de 1 m (pratique pour mesurer et découper de longs traits droits) et une plus petite pour les projets moins grands. Celle-ci vous aidera aussi à marquer les plis ; il vous suffira de la faire glisser sur la pliure du papier.

DES INSTRUMENTS DE GÉOMÉTRIE Les basiques comme le compas, le rapporteur et l'équerre ont de multiples usages. Si vous pouvez trouver une équerre grand format, achetez-la, elle vous servira pour toutes les découpes à angle droit.

POUR DESSINER

UNE PLUME ET DE L'ENCRE Bien qu'un peu salissantes (ce qui fait partie de leur charme), la plume et l'encre de Chine donnent de beaux effets. Si vous préférez, vous pouvez choisir parmi les nombreux feutres existants. Selon la forme de la pointe, vous obtiendrez des traits complètement différents.

UN PORTE-MINE Avec un porte-mine, plus besoin de taille-crayon. Sa pointe fine, toujours bien taillée, permet de marquer des repères de façon très précise.

UNE GOMME Même si une gomme à paillettes parfumée à la fraise est très tentante, je vous conseille la gomme blanche toute simple. Frottez-la toujours sur un morceau de papier avant de l'utiliser.

ET AUSSI

UN POINÇON Rangé en général dans la boîte à outils, il vous servira à trouer du carton et plusieurs feuilles de papier à la fois. Avant de percer, protégez toujours le plan de travail avec un morceau de bois.

DES ATTACHES PARISIENNES Aujourd'hui il existe de nombreux modèles fantaisie, autres que les attaches rondes et dorées. Les magasins de loisirs créatifs vendent des lots de couleurs et de formes variées. Elles permettent de fabriquer des charnières et d'attacher plusieurs feuilles de papier ensemble.

DES BRICOLES DÉCORATIVES Sequins, petits boutons, pierres précieuses adhésives et paillettes personnaliseront joliment vos projets.

DES AIGUILLES, DU FIL ET UNE MACHINE À COUDRE Plusieurs projets dans cet ouvrage nécessitent une aiguille et du fil soit pour assembler des morceaux de papier, soit pour suspendre l'objet lui-même une fois terminé. Des aiguilles de différentes tailles ainsi qu'une machine à coudre ne seront pas superflues.

Le papier

Il existe toutes sortes de papiers. En ce qui me concerne, je les aime tous : du papier de riz comestible collé sous un gâteau aux immenses rouleaux que l'on voit dans les imprimeries.

LE GRAMMAGE

Le grammage du papier se mesure en gramme par mètre carré (g/m^2). Il s'agit littéralement du poids d'un mètre carré de papier (même si ce format est plutôt rare…). On classe en général le papier en léger, moyen et épais.

Ensuite, il y a le carton. Parfois, certains papiers épais sont nommés «carton fin» et certains cartons sont appelés «papiers épais ou rigides», bref ce n'est pas toujours très simple…

Si vous tenez un morceau de papier entre le pouce et l'index et qu'il se plie en deux, on peut dire qu'il est fin. S'il ploie légèrement, c'est un papier moyen, et si vous pouvez poser votre tasse à café dessus, alors c'est du carton.

Pour résumer :

PAPIER FIN OU SOUPLE (35 À 90 G/M^2) : papier de soie, papier journal, papier origami, papier pour photocopieur et imprimante ;

PAPIER MOYEN (105 À 165 G/M^2) : papier à lettres classique, papier kraft, papier pastel ;

PAPIER ÉPAIS (175 À 335 G/M^2) : carte postale, carte de visite, papier aquarelle, faire-part ;

CARTON (400 G/M^2) : carton pour passe-partout, carton gris.

LA TAILLE

La lettre A suivie d'un chiffre indique en général la taille d'une feuille. Cela va du poster (A1) à la petite carte de visite (A8). Une fois pliée, une feuille de taille A prend les dimensions d'un autre format A immédiatement inférieur. Ainsi la taille standard, le A4, correspond à deux formats A5 ou à la moitié d'une feuille A3.

LES TYPES DE PAPIERS

Chaque papier a en principe un emploi particulier, mais dans cet ouvrage, j'ai eu plaisir à les mélanger. Voici une sélection de mes préférés.

LE PAPIER DE SOIE On le trouve souvent dans les paquets cadeaux. Il fait partie des papiers les plus fins que l'on puisse trouver.

LE PAPIER CRÉPON Idéal pour confectionner des fleurs, il est aussi élastique que résistant. Il se laisse facilement enrouler en pétales ou entortiller pour former des tiges. Essayez de dénicher du crépon pour fleuriste. Il tiendra bien mieux dans le temps que celui vendu dans les magasins de loisirs créatifs (voir «Un bouquet d'anémones et de camélias» p. 46-49).

LE PAPIER TRANSLUCIDE Il n'a plus rien à voir avec le papier-calque d'antan. Aujourd'hui, il nous en fait voir de toutes les couleurs. Plus résistant que le papier de soie, il permet des effets de vitrail ou des superpositions de couleurs.

LE PAPIER IMPRIMANTE Facile à trouver et disponible dans une large gamme de teintes, il est idéal pour s'exercer quand on démarre un projet. Pour cet ouvrage, j'ai confectionné la plupart de mes prototypes avec ce type de papier A4 blanc.

LE PAPIER ORIGAMI Du classique papier doré au papier décoré de motifs, le choix est vaste. Que les motifs recouvrent une face ou les deux, ce papier donne de magnifiques pliages. Par ailleurs, il permet de multiples emplois en dehors de son utilisation traditionnelle.

LE PAPIER KRAFT Un de mes préférés ! J'adore la délicatesse de son lignage en relief et son prix si abordable. Utilisé à bon escient, il saura vous montrer ses lettres de noblesse (voir « Un cadre rococo » p. 98-101).

LE PAPIER PASTEL Pour de nombreux projets, j'ai utilisé du papier pastel de la gamme Murano. Parfait pour les pliages, il est vendu dans une vaste gamme de couleurs et sa texture est vraiment intéressante. Avec lui, l'encre ne bave pas et les traits restent toujours nets et précis (voir « Les animaux du Colorado » p. 14-17).

LE PAPIER FAIT MAIN Ce papier est d'autant plus beau que chaque feuille est unique. Avec des inclusions de pétales ou de sequins, en relief, orné à la feuille d'or, teint à la main : vous aurez le choix parmi des milliers de papiers artisanaux. Sachez toutefois que ses fibres ne sont pas aussi bien ordonnées que celles du papier industriel. Cela signifie qu'il ne se pliera ou ne se découpera pas aussi proprement.

LE PAPIER AQUARELLE Il est vendu en différents grammages, et sa surface sera plus ou moins lisse. Il pourra également avoir des bords frangés.

LE CARTON ONDULÉ Initialement, ce carton ne servait qu'à emballer des objets. Vendu en rouleaux et en feuilles, aujourd'hui, il existe dans de multiples couleurs (voir « Les paperolles à l'ancienne » p. 90-93).

LE PAPIER PEINT Les chutes ou les échantillons de papier peint vous serviront à faire des bandes assez longues. Avec des motifs souvent surdimensionnés, ce papier est tout à fait adapté aux projets de grandes tailles (voir « Les rosettes géantes » p. 102-105.).

LE CARTON POUR PASSE-PARTOUT Plutôt solide, il sert souvent de support pour les tableaux ou les photos de vacances. Il est vendu en feuilles de format A1, voire plus petit. Privilégiez toujours les grandes feuilles, car elles sont d'un meilleur rapport qualité/prix. Vous pourrez toujours les faire redécouper dans certains magasins de fournitures pour beaux-arts. Sinon découpez-le de préférence au cutter ou au couteau à lame rétractable (voir « Les pigeons voyageurs » p. 22-25.).

LE CARTON GRIS Ce carton, plutôt triste et souvent fabriqué à partir de fibres recyclées, est résistant et idéal pour la reliure ou la fabrication de boîtes et de chemises rigides. Il est vendu dans des épaisseurs allant de 1 à 3 mm.

Techniques et astuces

Pour fabriquer un objet en papier, pas besoin de posséder des montagnes de fournitures ou d'acquérir les connaissances d'un spécialiste, voici quelques astuces et conseils pour vous garantir les meilleurs résultats.

PORTRAIT ET PAYSAGE

Il existe deux manières d'indiquer l'orientation d'une feuille rectangulaire. Si elle est plus large que haute, c'est un format paysage ; si c'est l'inverse, il s'agit d'un portrait.

FABRIQUER DES GABARITS

En fin d'ouvrage, vous trouverez de nombreux gabarits. Je vous conseille de les découper dans du carton épais. Ils dureront plus longtemps et vous tracerez plus facilement leurs contours ensuite. Si vous utilisez un ordinateur et une imprimante, vous pouvez scanner les gabarits, les agrandir à la taille voulue, puis les imprimer en une couleur pâle ou en 20 % de noir sur le papier de votre choix. Vous pouvez aussi photocopier le gabarit à partir du livre, le coller directement sur le papier définitif, puis fixer le tout sur le tapis de découpe. Il vous suffira de découper les deux à la fois, ainsi vous n'aurez aucun trait à gommer.

LE GRAIN

Le papier est obtenu à partir de fibres qui, une fois mélangées à de l'eau et des colorants, donnent une pâte, elle-même pressée puis aplanie par des rouleaux. Pendant ce processus, les fibres sont généralement étalées dans une seule direction, ce qui donne le grain du papier. C'est pourquoi quand vous roulez une feuille, il est plus facile de le faire dans un sens que dans l'autre : c'est le sens du grain. Cela vaut aussi pour le pliage. Pour les carnets, faites en sorte que le grain des pages soit bien parallèle à la reliure pour éviter qu'elles ne gondolent.

PAPIER ENROULÉ

Si pour un projet vous devez faire un tube ou un cône (voir « Les animaux du Colorado » p. 14-17), je vous conseille de chauffer d'abord les fibres du papier. Repérez le sens du grain, puis roulez la feuille pour lui donner grossièrement la forme d'un tube en suivant ce sens. Faites rouler le tube d'avant en arrière sur une table, ou entre vos mains, quelques minutes puis resserrez-le. De cette façon, le papier fera moins de plis.

Au contraire, pour aplatir un grand rouleau de papier, étalez-le, puis enroulez-le sur lui-même dans l'autre sens. Vous pouvez aussi le repasser, mais faites attention, car la chaleur peut froisser certains papiers imprimés. Placez donc la feuille de papier sous du papier journal pour la protéger du fer.

DÉCHIRER

Le papier se déchire plus ou moins bien selon la méthode choisie. Il est plus facile de le faire à la main et les bordures seront plus nettes si vous suivez le sens du grain.

Prenez une feuille et orientez-la au format portrait. Si vous la déchirez en rapprochant la main droite de vous et en éloignant la gauche, le papier ne se déchirera pas de la même façon que si vous faites l'inverse.

PLIER

Le papier se plie mieux quand on respecte le sens du grain, cependant cette différence est quasiment imperceptible avec des papiers fins. Pour plier plus facilement les papiers épais, vous pouvez d'abord les rainer le long de la ligne de pliure (voir « Rainer ») ou vous aider d'une règle.

En origami, de nombreux pliages portent un nom. Les plus courants sont le pli montagne et le pli vallée. Ce sont des termes assez évidents dans la mesure où, le pli montagne est un pliage formant une crête et le pli vallée, à l'opposé, est un pliage formant un creux.

Pour obtenir un pli net, pincez le papier entre les doigts et marquez le pli avec les ongles. Vous pouvez également poser le papier sur une surface plane et appuyer dessus avec une règle en métal ou un outil de pliage.

RAINER

Pour des pliages soignés ou pour obtenir une forme bien incurvée, rainez préalablement le papier. Pour cela, servez-vous du dos du cutter (moins tranchant). Aidez-vous d'une règle en métal pour les lignes droites, mais suivez les courbes à main levée (A). N'enfoncez surtout pas la pointe du cutter, car elle pourrait traverser le papier. Appuyez bien sur le pli et tirez le dos de la lame vers vous. Si vous travaillez avec du papier très fin, faites attention à ne pas le transpercer.

Une alternative consiste à employer la partie non tranchante d'une paire de ciseaux. Un stylo-bille sec peut aussi faire l'affaire (mais j'ai toujours peur que la bille se remette à rouler et que cela gâche tout mon travail). Veillez à rainer le bon côté du papier selon qu'il s'agit d'un pli montagne ou vallée.

Pour finir, pincez le pliage délicatement entre les doigts pour lui faire épouser la ligne ou la courbe (B).

DÉCOUPER

Je préfère le cutter aux ciseaux, car la découpe est bien plus nette. Si vous travaillez avec du papier moyen à épais, je vous conseille de changer la lame à chaque nouveau projet, voire plusieurs fois par projet.

Lors d'un découpage petit et minutieux, n'hésitez pas à fixer le papier (et le gabarit si vous en utilisez un) au tapis de découpe avec du ruban de masquage.

Découpez d'abord les lignes internes au motif, puis passez aux traits de contours. N'essayez pas de découper une grosse partie en une fois. Enlevez des petits morceaux et avancez petit à petit.

Cela est d'autant plus vrai si vous vous attaquez à une courbe dans du carton ou un papier épais, prélevez des petites parties plutôt que de découper tout d'un seul coup.

FAIRE «FRISER»

Plusieurs projets ont recours à du papier enroulé sur lui-même. Pour faire «friser» du papier, procédez comme avec un ruban. Prenez une bandelette dans une main et faites courir une paire de ciseaux fermée sur toute sa longueur. Le papier va s'enrouler quand vous arriverez à l'extrémité. Plus le geste est ferme, plus la boucle sera serrée (C et D).

Les animaux du Colorado

L'été dernier, j'ai passé mes vacances dans le sud du Colorado, dans le magnifique Zapata Ranch. Quelques-uns des spécimens que j'ai vus là-bas m'ont inspiré ces animaux de papier. Pour être honnête, je n'ai pas vraiment rencontré d'ours, de loup ni de renard des neiges, mais j'ai pu observer des rennes.

MAMAN OURSE

FOURNITURES

Pour un animal
- Des feuilles A4 de papier pastel moyen de couleurs différentes
- Un crayon à papier
- Des ciseaux
- Un cutter (ou un scalpel) et un tapis de découpe
- Une règle en métal
- Une épingle

Tous ces animaux sont fabriqués de la même façon, la seule différence réside dans le pliage du cou et de la queue.

LA MAMAN OURSE

1. Pliez une feuille de papier A4 en deux dans le sens de la longueur. Préparez le gabarit (voir p. 115), puis posez-le sur la feuille. Placez son bord supérieur sur la ligne de pliure. Avec un crayon bien appointé, tracez-en les contours. Dessinez des pointillés au niveau du cou et de l'oreille (voir gabarit p. 115).

2. Découpez l'ourse aux ciseaux à l'intérieur des traits de crayon. Ainsi, vous aurez moins de traits à effacer. Découpez ensuite les oreilles au cutter. Pliez l'oreille.

3. Avec le dos du cutter (ou du scalpel) et la règle, rainez la feuille le long des lignes en pointillé sur le cou.

4. Pliez le cou le long de ces deux rainures. Marquez le pli avec les ongles.

SUITE ⟩⟩⟩

5. Ouvrez l'ourse en deux. Puis pliez la tête en creux (pli renversé vers l'intérieur) le long du repère A. Pour cela, penchez la tête vers le bas entre les pattes.

6. Tenez l'ourse par le dos, derrière le pli A. Puis faites-lui relever la tête d'entre les pattes et faites un pli montagne le long du repère B (voir photo 6B).

7. Percez deux yeux avec l'épingle.

8. Réalisez le poisson dans une feuille A4 de couleur différente (voir p. 115). Placez-le dans la gueule de la maman ourse.

L'OURSON

La fabrication de l'ourson est strictement identique à celle de la mère. Servez-vous du gabarit de la page 115. Comme les plis du cou adoptent une position différente, il relèvera un peu la tête.

LA MAMAN RENNE

1. Suivez les étapes 1 à 7 de la maman ourse en utilisant le gabarit de la page 114.

2. Pour que la queue soit relevée, rainez le papier le long des pointillés C. Dépliez ensuite le corps à plat et pliez la queue vers le haut. Repliez le corps et la queue se relèvera automatiquement. Vous pouvez aussi plier les bois pour lui donner plus de caractère.

3. N'oubliez pas de percer les yeux avec une épingle.

LE BÉBÉ RENNE

Le gabarit du bébé renne peut sembler un peu étrange à première vue, car la tête est à l'envers, mais tout vous paraîtra plus clair une fois le cou plié.

1. Suivez les étapes 1 à 3 de la maman ourse en utilisant le gabarit de la page 114. Rainez le cou et rabattez-le sur un côté.

2. Ouvrez le bébé renne en deux, puis pliez le cou en creux (pli renversé vers l'intérieur) entre les sabots avant.

3. Repliez le bébé renne. La tête se positionnera alors d'elle-même et l'animal pourra renifler l'herbe entre ses pattes.

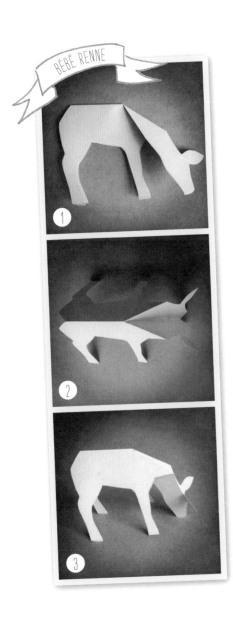

BÉBÉ RENNE

① ② ③

LE RENARD DES NEIGES

1. Suivez les étapes 1 à 3 de la maman ourse en utilisant le gabarit de la page 114.

2. Le cou du renard doit être plié de la même façon que celui du bébé renne.

3. Pliez la queue en suivant la ligne de pointillés B pour l'orienter vers le bas.

4. Faites un autre pli dans le sens inverse en suivant la ligne de pointillés C.

LE LOUP

1. Suivez les étapes 1 à 3 de la maman ourse en vous servant du gabarit de la page 114.

2. Pliez le cou du loup comme celui de l'ourson.

3. Procédez avec la queue du loup de la même manière qu'avec celle de la maman renne. Si vous ne souhaitez pas qu'elle traîne parterre, modifiez un peu le pli.

LA FAMILLE BISON

Suivez exactement les mêmes étapes que pour la famille ours (voir gabarits p. 115).

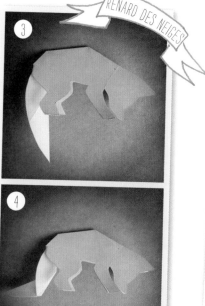

RENARD DES NEIGES

③ ④

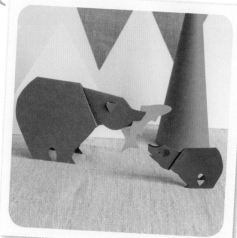

Un nichoir astucieux

Un joli nichoir qui délivre des pense-bêtes et abrite vos trombones, que demander de mieux ?

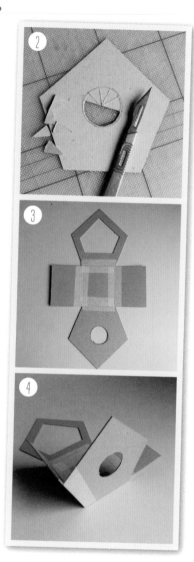

FOURNITURES

Pour un nichoir
- Une feuille A3 de carton gris (épaisseur de 3 mm)
- Des ciseaux
- Un cutter (ou scalpel)
- Une règle en métal
- Un tapis de découpe
- Du ruban de masquage
- De la colle PVA
- Du ruban adhésif double face
- Des papiers de couleurs vives, unis ou à motifs (ici du papier origami)
- Un bâtonnet de colle
- Un bloc de pense-bêtes adhésifs rose vif
- Un cutter rotatif

LE NICHOIR

1. Utilisez les gabarits (voir p. 116-117) : reportez la façade et l'arrière du nichoir sur le carton gris épais, puis découpez-les. Dans le même carton, découpez un rectangle de 7 × 6 cm pour le sol et deux rectangles de 7 × 5,5 cm pour les murs.

2. Découpez l'ouverture de la façade. Pour cela, tracez des traits à l'intérieur du cercle en les faisant passer par le centre. Ôtez ensuite chaque quartier un par un (comme les bords de l'ouverture seront recouverts ultérieurement, nul besoin qu'ils soient parfaits). Évidez également l'arrière du nichoir selon la forme du gabarit.

3. Posez les deux murs du nichoir à plat de chaque côté du sol. Juxtaposez les côtés de même longueur. Assemblez-les avec le ruban de masquage.
Le ruban jouera le rôle de charnière et vous pourrez relever les murs. Placez la façade et l'arrière du nichoir sur les autres côtés. Fixez-les avec le ruban de masquage.

4. Montez un mur et la façade de sorte qu'ils forment une arête. Maintenez-les ensemble avec le ruban de masquage que vous collerez à l'extérieur de la boîte.

SUITE >>>

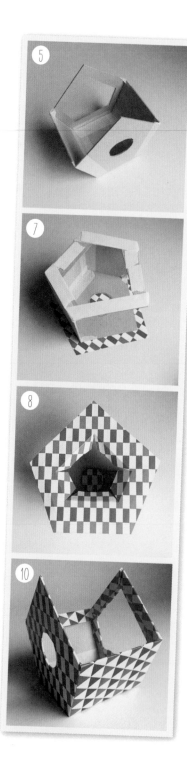

〉〉〉

5. Faites de même avec l'autre mur, puis avec l'arrière du nichoir. Pour consolider les parois, appliquez un trait de colle PVA le long des jointures, à l'intérieur de la boîte. Laissez sécher.

DÉCORER LE NICHOIR

6. Recouvrez la façade avec des bandes d'adhésif double face. Retirez ensuite la pellicule protectrice. L'adhésif maintiendra le papier en place et renforcera la boîte. La colle PVA peut aussi faire l'affaire, mais elle est plus salissante et elle n'adhère pas instantanément.

7. Posez une feuille de papier origami sur une surface plane, verso face à vous. Puis placez la façade du nichoir par-dessus, côté collant vers le bas. Découpez aux ciseaux l'excédent de papier en conservant une marge de 1 cm.

8. Faites de même avec l'arrière du nichoir. Déplacez le cutter depuis les angles jusqu'au centre de l'ouverture. Découpez ensuite l'excédent de papier en gardant une marge de 1 cm. Repliez le papier à l'intérieur de l'orifice. Faites de même avec la façade.

9. Pliez l'excédent de papier des côtés vers l'intérieur de la boîte. Pliez-le ou découpez-le dans les angles pour une finition plus soignée. Collez à l'aide de l'adhésif double face ou du bâtonnet de colle.

10. Encollez l'extérieur des deux murs et du sol avec le bâtonnet de colle. Découpez un rectangle de papier origami de 7,5 × 21 cm. Posez-le sur un des murs en laissant une marge de 1 cm en haut. Puis appuyez bien sur le papier pour qu'il adhère. Continuez en recouvrant le sol, puis le dernier mur. Gardez les bords du papier bien alignés avec la façade et l'arrière du nichoir. Repliez les deux marges des extrémités à l'intérieur de la boîte.

EMBELLIR L'INTÉRIEUR

11. Avec les mêmes gabarits (voir p. 116-117), découpez la façade dans le papier origami. Découpez également l'arrière, le sol et les murs. Évidez les ouvertures situées à l'avant et à l'arrière.

12. Encollez l'intérieur de la boîte avec le bâtonnet de colle. Puis collez le papier origami. Commencez par la façade et l'arrière. Ensuite passez au sol et enfin aux murs. Appuyez bien et laissez sécher.

LE TOIT

13. Découpez deux rectangles de carton gris de 8 × 8,5 cm correspondant au toit. Posez-les à plat et joignez-les par l'un de leurs petits côtés en laissant un léger espace entre eux. Ensuite assemblez-les avec une bande de ruban de masquage. Appliquez un second morceau de ruban de l'autre côté de la jointure pour la renforcer. Le toit articulé va reposer au sommet du nichoir.

14. Collez des bandes d'adhésif double face tout autour de la face extérieure du toit.

15. Posez un rectangle de papier origami de 10 × 20 cm à plat sur la table, verso face à vous. Posez le carton (face intérieure du toit) sur le papier origami. Pour des angles bien nets, découpez à nouveau le papier (voir photo 15). Rabattez les bords du papier et collez-les sur la face cachée du toit.

16. Découpez six bandes de 5 × 80 mm d'adhésif double face. Puis collez-les en haut du nichoir, le long des tranches.

17. Posez le toit sur ces bandes adhésives et appuyez bien. Ménagez une légère avancée au niveau de la façade et alignez le bord du toit avec l'arrière du nichoir. Partagez le bloc de pense-bêtes en deux. Fixez chaque moitié au toit à l'aide de l'adhésif double face.

18. Avec un cutter rotatif, découpez un gros œillet dans un papier uni (ici, blanc). Pour cela, découpez un premier disque de 4 cm de diamètre. Puis dessinez un second cercle concentrique de 2,5 cm et évidez-le. Collez l'œillet sur la façade autour de l'ouverture afin d'en masquer les contours.

19. Vous pouvez suspendre le nichoir à un crochet sur un panneau d'affichage ou le poser simplement sur votre bureau.

Les pigeons voyageurs

Perchés sur un mur ou sur un panneau d'affichage, ces petits pigeons se sont mis sur leur trente et un pour vous aider à ranger votre courrier et vos papiers importants.

FOURNITURES

Pour un pigeon
- Une feuille A5 de carton coloré pour passe-partout
- Un tapis de découpe
- Un cutter (ou un scalpel)
- Des carrés de 10 cm, 8 cm et 5 cm de côté dans du papier pastel de plusieurs couleurs
- Une plume et de l'encre noire ou un stylo-plume pour la calligraphie noire
- Du ruban double face
- Des morceaux de papier coloré pour les yeux et les accessoires
- Une perforatrice en forme de cercle de 5 mm de diamètre

ASTUCE

Si vous n'avez du carton que d'une seule couleur, recouvrez-le de papiers colorés à l'aide d'un adhésif en aérosol.

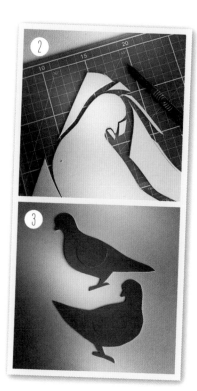

LES PIGEONS

1. À l'aide du gabarit (voir p. 116 ou 117), tracez les contours d'un pigeon au verso du carton.

2. Posez le carton sur le tapis de découpe. Puis découpez le pigeon au cutter. Comme il est fait de courbes, procédez pas à pas et évitez de découper une grosse partie en une seule fois.

LES AILES

3. Incisez la courbe correspondant à l'aile entre les points A et B.

SUITE >>>

〉〉〉

4. À l'aide des gabarits (voir p. 116), tracez les trois ailes de tailles différentes sur du papier pastel de différentes couleurs. À la plume et à l'encre ou au stylo-plume, dessinez des courbes pour souligner les arrondis. Laissez sécher l'encre.

5. Découpez chaque aile. Au verso, collez une bande d'adhésif double face le long de leur bord supérieur.

6. Superposez-les pour créer une grande aile. Enlevez la pellicule protectrice de l'adhésif et collez-les. Enfin, fixez l'aile terminée sur le corps du pigeon de sorte qu'elle recouvre l'incision.

Accessoirisez à présent chaque pigeon d'une manière différente.

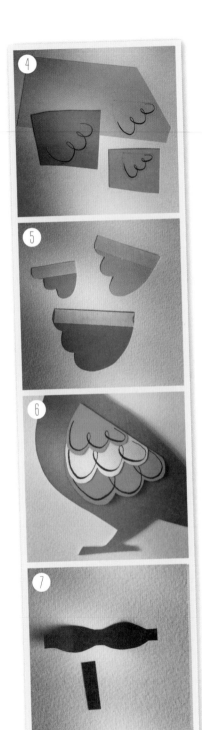

LE NŒUD PAPILLON

7. À l'aide des gabarits (voir p. 116), tracez les deux parties du nœud sur du papier coloré, puis découpez-les. Pliez le nœud papillon en suivant les pointillés. Placez le petit rectangle autour. Maintenez-le en place avec un petit morceau d'adhésif double face collé au verso. À l'encre et à la plume, dessinez les détails d'un nœud papillon sur le devant.

LES YEUX ET LES ACCESSOIRES

8. Découpez un petit ovale pour chaque œil dans du papier coloré. Puis avec une perforatrice, créez un cercle parfait pour les pupilles. Fixez avec un peu de ruban adhésif. Dessinez les détails des yeux à l'encre et à la plume ou au stylo-plume.

9. Toujours à l'aide de la perforatrice, fabriquez des boutons et des colliers en papier. Pour le bijou de tête, suivez les instructions sur les roses (voir p. 55). Fixez avec un peu de ruban adhésif puis dessinez les détails.

ASTUCE

Si vous utilisez la plume, sachez que l'encre peut baver sur certains papiers et donner des traits moins précis. Faites un essai avec le papier que vous avez choisi pour voir comment elle réagit. Si elle coule, utilisez plutôt un feutre.

Pour un exemplaire de chaque
- Chutes de papiers peints à motifs et colorés
- Un cutter (ou scalpel) ou des ciseaux
- Du carton gris (épaisseur de 3 mm) dans les dimensions suivantes :

Pour une petite boîte
- Quatre carrés de 12 cm de côté
- Un rectangle de 12 × 11,7 cm

Pour une grande boîte
- Quatre rectangles de 23 × 18 cm
- Un rectangle de 23 × 17,7 cm

Pour une boîte rectangulaire
- Deux rectangles de 28 × 12 cm
- Deux carrés de 12 cm de côté
- Un rectangle de 28 × 11,7 cm
  (Notez que la base de chaque boîte est légèrement plus petite que les quatre côtés. Ainsi elle s'insérera plus facilement.)

Pour un grand triangle
- Deux rectangles de 8 × 25 cm
- Un rectangle de 8 × 10 cm

Pour un petit triangle
- Deux rectangles de 18 × 13 cm
- Un carré de 13 cm de côté
- Du ruban adhésif double face
- Du ruban adhésif de masquage
- Un crayon à papier
- Un bâtonnet de colle ou colle PVA

Des rangements malins

Est-ce une maison de poupée ? Pourquoi pas ? Est-ce un rangement malin pour votre coin bureau ? Possible ! À vous de faire votre choix !

LA PETITE BOÎTE

1. Découpez un carré de 16 cm de côté dans du papier peint. Posez-le sur une surface plane, verso face à vous. Placez le rectangle de carton gris de 12 × 11,7 cm au centre. Collez des bandes d'adhésif double face le long de chaque bord du carton. Coupez les angles du papier en biais (voir photo 1). Ôtez la pellicule de l'adhésif.

2. Rabattez un bord en papier sur le carton. Rentrez bien tout le papier pour un angle soigné. Appuyez bien.

3. Repliez le bord adjacent de la même manière. Répétez l'opération avec tous les bords.

SUITE >>>

4. Assemblez les quatre carrés de carton gris et la base de la boîte avec du ruban de masquage. Celui-ci vous permettra de repositionner les éléments si besoin et il s'étirera quand vous relèverez les côtés.

5. Montez les côtés de la boîte. Avec le ruban de masquage, joignez deux côtés adjacents l'un à l'autre (5A).

Les bords doivent buter l'un contre l'autre (5B).

6. Le quatrième côté devra s'insérer facilement entre les deux autres.

7. Consolidez toutes les jointures avec du ruban adhésif de masquage.

RECOUVRIR LA BOÎTE

8. Prenez un morceau de papier peint à gros motifs pour recouvrir toute la boîte (un carré d'environ 40 cm de côté). Posez-le sur la table, verso face à vous. Placez la base de la boîte dessus et centrez-la bien. Dessinez ses contours au crayon. Faites basculer la boîte sur un côté et tracez-en les contours. Remettez la boîte en place au centre, puis basculez-la à nouveau sur un autre côté.

Répétez cette opération jusqu'à ce que vous ayez marqué au crayon les quatre côtés. Mettez la boîte de côté.

9. Ajoutez une marge de 2 cm au bord supérieur de deux côtés opposés, puis une marge de 2 cm sur les trois bords des deux côtés restants. Découpez le papier avec des ciseaux ou un cutter. Coupez chaque angle en biais comme à l'étape 1.

10. Collez des bandes d'adhésif double face le long de chacun des quatre côtés de la base de la boîte. Posez la boîte au centre du papier, puis appuyez soigneusement.

VARIANTE !

À la place de l'adhésif double face, vous pouvez opter pour de la colle PVA ou en bâtonnet. Toutes deux permettent de repositionner le papier si besoin, mais attention, elles sont souvent bien plus salissantes.

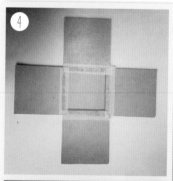

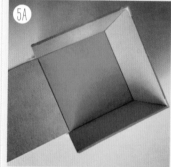

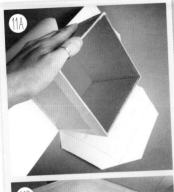

11. Basculez la boîte sur un côté du papier comportant trois rabats (11A). Laissez-la dans cette position, puis fixez de l'adhésif double face le long des deux côtés extérieurs et sur le bord intérieur de l'ouverture. Repliez les rabats sur l'adhésif et appuyez bien (11B). Faites de même avec le côté opposé. Pour que le papier reste propre et plat, il est préférable de poser la boîte dessus plutôt que de manipuler le papier.

12. Replacez la boîte sur la base. Posez ensuite de l'adhésif double face le long des bords de l'un des côtés non recouvert, sur les rabats en papier coloré. Cette fois, faites remonter le papier sur le côté, puis appuyez pour qu'il adhère bien. Procédez à l'identique pour le côté opposé. Fixez les bords supérieurs du papier à l'intérieur de la boîte à l'aide de l'adhésif double face.

13. Pour recouvrir l'intérieur de la boîte, découpez quatre carrés de 11,7 cm de côté dans le même papier que celui utilisé pour l'intérieur de la base.

14. Encollez chaque face intérieure de la boîte avec le bâtonnet. Fixez un carré de papier sur chacune.

15. Fabriquez la grande boîte ainsi que la rectangulaire de la même manière. Pour celles à trois côtés, il est préférable de confectionner les triangles en carton d'abord, puis de les recouvrir de papier et de découper des rectangles de papier pour en recouvrir l'intérieur.

CONSEIL

Bien entendu, vous pouvez gagner du temps en recouvrant de vieilles boîtes à chaussures ou des emballages, mais vos boîtes ne seront jamais aussi solides que celles-ci.

Pour une carte
- Un rectangle de 13 × 29 cm de papier turquoise (épaisseur moyenne)
- Une règle en métal
- Un crayon à papier
- Un tapis de découpe
- Un cutter (ou scalpel)
- Un carré de 13 cm de côté de papier ivoire (épaisseur moyenne)
- De l'adhésif en aérosol
- Du ruban de masquage (facultatif)
- Des feuilles de transfert de colle (facultatif)
- Des morceaux de papiers colorés unis ou à motifs (pour les oiseaux, la banderole et les fleurs)
- Un rectangle de 16 × 2 cm de papier turquoise (épaisseur moyenne)
- Un bâtonnet de colle
- Une épingle
- De l'adhésif double face

Une cage pop-up

Pour mes onze ans, ma tante m'avait offert une carte qui représentait une maison avec des portes et des fenêtres grandes ouvertes. Pendant des années, je m'en suis servie tel un calendrier de l'Avent, pour mon anniversaire. Cette carte a été une vraie source d'inspiration.

CONSEIL

Fixez d'abord les oiseaux sur les charnières avec de la colle temporaire. Assurez-vous ensuite qu'ils sont dans la bonne position avant de les coller définitivement.

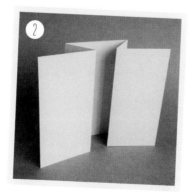

LA CARTE

1. Prenez le grand rectangle de papier turquoise. Marquez un repère au milieu de sa longueur. Mesurez 4 cm à droite de ce repère et faites un petit trait. Mesurez encore 4 cm à droite de ce trait et marquez un troisième repère. Répétez cette opération à gauche du milieu. Vous obtenez deux marques supplémentaires. Procédez à l'identique sur la longueur opposée.

2. Placez le rectangle sur le tapis de découpe. Ne tenez pas compte des repères du milieu. Avec le cutter et la règle, tracez quatre rainures qui relient les repères d'un côté à l'autre. Pliez ensuite le rectangle le long des rainures.

SUITE 〉〉〉

>>>

3. Copiez le gabarit de la cage (voir p. 118), puis inversez-le pour créer la partie droite. Fixez-le sur le papier ivoire avec un voile d'adhésif en aérosol ou avec du ruban de masquage. Découpez la cage (voir les indications p. 13). Veillez à ne pas découper les gonds de la porte.

4. Découpez la cage en deux en son centre. Rainez légèrement les gonds pour que les battants puissent s'ouvrir et se fermer.

5. Placez une moitié de cage sur une partie pliée du rectangle turquoise. Veillez à ce que le bord de la cage soit bien aligné avec la pliure (voir photo). Ouvrez le battant de la porte. Sur le papier turquoise, tracez légèrement les contours de l'encadrement au crayon. Faites de même avec l'autre moitié.

6. Découpez le papier turquoise en suivant les traits tracés au crayon. Collez les deux moitiés de cage sur le papier turquoise avec de l'adhésif en aérosol ou des feuilles de transfert de colle.

LES OISEAUX ET LA BANDEROLE

7. À l'aide des gabarits (voir p. 118), découpez tous les éléments dans des papiers colorés unis ou à motifs.

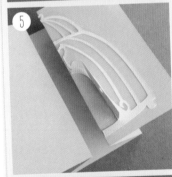

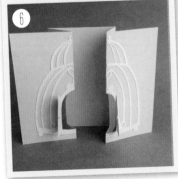

8. Découpez la banderole et pliez-la selon les pointillés : le long des traits A en formant un creux et le long des traits B en formant une crête.

9. Découpez le petit rectangle turquoise en deux sur toute sa largeur. Vous obtenez deux bandes de 8 × 2 cm. Prenez une bande. À 1 cm d'une extrémité, pratiquez quatre rainures espacées chacune de 1 cm. Procédez de même avec l'autre bande.

10. À l'aide d'un bâtonnet de colle, fixez l'oiseau 1 sur l'extrémité sans rainure de l'une des bandes. Le bec doit à peine chevaucher le bord.

11. Collez la banderole sur la bande turquoise, sous le bec de l'oiseau. Faites-la légèrement empiéter sur le corps. Collez les ailes et percez un trou pour l'œil avec l'épingle.

12. Placez un petit morceau d'adhésif double face ou une pointe de colle sur le premier carré délimité par les rainures. Ensuite, pliez-le pour fabriquer un cube (voir photo).

13. Collez l'oiseau 2 sur la seconde bande turquoise. Répétez l'étape 12. Collez une aile et percez un œil.

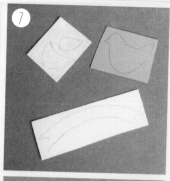

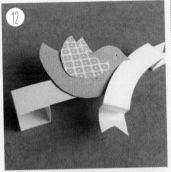

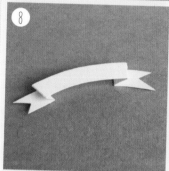

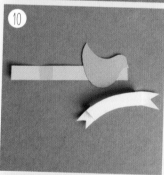

Placez un morceau d'adhésif double face à l'arrière et sur le côté de chaque cube.

14. Retirez la pellicule de l'adhésif. Positionnez l'oiseau 1 et sa banderole à l'intérieur de la carte. Fixez une face du cube au fond de la carte et une autre sur un des rabats.

15. Faites de même avec l'oiseau 2 mais sur le rabat opposé. Quand la carte est fermée, assurez-vous qu'il est visible dans l'entrebâillement.

16. Collez les fleurs à l'intérieur de la carte avec le bâtonnet de colle.

La guirlande prénom

Une petite carte toute simple qui réserve une jolie surprise à son destinataire. Quand il la sortira de son enveloppe, il découvrira alors une ribambelle de lettres formant son prénom.

Pour une guirlande
- Un crayon à papier
- Du papier blanc
- Des ciseaux
- De l'adhésif en aérosol
- Un carré de 10 cm de côté dans du papier à motifs (un par lettre)
- Un carré de 10 cm de carton fin coloré (un par lettre, et un de plus pour l'oiseau)
- Du ruban de masquage
- Un tapis de découpe
- Un cutter (ou un scalpel)
- Des morceaux de papier coloré (pour les petits drapeaux et l'aile de l'oiseau)
- Une aiguille à gros chas
- Du fil à broder
- Un bâtonnet de colle
- Une grande étiquette à bagage
- Une enveloppe

1. Confectionnez le gabarit des lettres. Vous pouvez écrire le prénom à main levée sur du papier blanc ou l'imprimer en utilisant une police de caractères numérique. Chaque lettre devra mesurer environ 10 cm de haut. Vous trouverez de nombreuses polices fantaisie et gratuites sur Internet (voir p. 126). Découpez chaque lettre.

2. Avec l'adhésif en aérosol, assemblez un carré de papier à motifs à un carré de carton fin. Harmonisez les couleurs des cartons et des papiers.
Posez le gabarit d'une lettre sur cette double épaisseur. Maintenez-le en place avec un morceau d'adhésif de masquage. Puis fixez le tout au tapis de découpe avec du ruban de masquage.

3. Découpez soigneusement la lettre au cutter.

4. Répétez les étapes 2 et 3 pour chaque lettre.

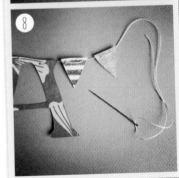

SUITE >>>

5. À l'aide des gabarits (voir p. 122) découpez les drapeaux (dans le papier coloré) et les parties de l'oiseau (dans le carton fin et le papier coloré) aux ciseaux ou au cutter.

6. À l'aide des gabarits de la page 122, découpez les deux parties de l'oiseau.

7. Sur une aiguille à gros chas, enfilez une longueur de fil suffisante pour accrocher le prénom et les petits drapeaux. Piquez l'oiseau à deux endroits. Dissimulez le fil en collant l'aile par-dessus à l'aide d'un bâtonnet de colle. Laissez une longueur d'environ 10 cm pour suspendre la guirlande.

8. Alternez les lettres et les drapeaux sur le fil. Terminez la guirlande par l'étiquette à bagage.

9. Écrivez votre message sur l'étiquette, puis pliez la guirlande en accordéon et glissez-la dans une enveloppe.

VARIANTE

Vous pouvez aussi écrire «Félicitations» ou «Joyeux anniversaire», ou encore inscrire la date d'une occasion spéciale.

Joyeux anniversaire ma belle !

Des petits carnets reliés

Pour fabriquer un carnet, je me sers d'une seule feuille de papier aquarelle que je plie plusieurs fois. Grâce à sa petite taille, il vous suivra partout, faisant office de carnet de croquis ou de notes, prêt à apparaître dès que l'inspiration surgira.

Pour un carnet

- Une feuille A1 de papier aquarelle (épaisseur moyenne)
- Deux pinces à dessin
- Une équerre
- Un crayon à papier
- Un cutter (ou scalpel) et un tapis de découpe
- Une règle en métal
- Une perceuse avec une mèche de 2 mm (ou un poinçon)
- Un bloc de bois (support de perçage)
- Une grosse aiguille
- 1 m de ficelle de boulanger colorée, de cordelette ou de ruban fin

L'INTÉRIEUR

1. Posez la feuille de papier au format paysage sur une surface propre et plane. Pliez-la en seize, ce qui correspond à quatre plis. Pli 1 : pliez-la en deux dans le sens de la largeur. Pli 2 : pliez-la en deux dans le sens de la hauteur. Pli 3 : pliez-la encore en deux dans le sens de la largeur. Pli 4 : pliez-la en deux dans le sens de la hauteur. Selon l'épaisseur du papier, les plis 3 et 4 pourront être difficiles à faire, aussi n'hésitez pas à les aplatir du plat de la main. Vous obtenez l'intérieur du carnet à 16 pages, dont certaines sont encore à couper.

2. Pour séparer les pages, commencez par maintenir le carnet fermé en clipant des pinces à dessin le long de la tranche.

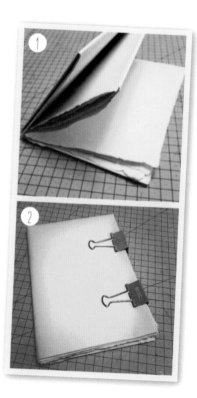

SUITE ⟩⟩⟩

3. Posez l'équerre contre le dos du carnet. Tracez un léger trait de crayon horizontal à 5 mm du bord supérieur. Tracez un trait vertical à 5 mm de la tranche. Mesurez ensuite 18 cm à partir du trait du bord supérieur puis tracez un trait parallèle à celui-ci dans la largeur. Il est préférable de déplacer les pinces pour tracer les traits.

4. Avec une règle et un cutter, découpez proprement les pages le long des traits. Là aussi, déplacez les pinces. Vous obtenez un carnet à 16 pages de 18 cm de haut.

5. Repositionnez les pinces sur la tranche. Choisissez un type de reliure, puis reportez les repères avec une règle et un crayon en vous référant au guide (voir p. 118-119). Glissez un bloc de bois sous le carnet puis percez au niveau des repères indiqués, avec une perceuse et une mèche adaptée.

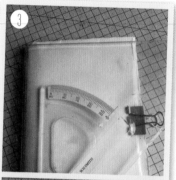

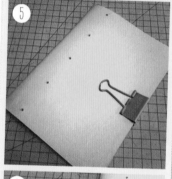

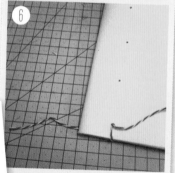

VARIANTE

Décorez la couverture de votre carnet avec des tampons, des lettres dessinées à la main ou du papier à motifs. Si vous voulez ajouter une couverture en papier imprimé, enveloppez le carnet avec le papier de votre choix avant l'étape 3. Coupez-le ensuite en même temps que les pages du carnet. Puis, suivez les étapes restantes à l'identique.

LE CARNET À RELIURE ROUGE

6. Enfilez la ficelle dans l'aiguille. Reliez ensuite le livre comme suit en commençant par le bas (voir dessin p. 118) :

Entrez dans le trou A par-derrière. Laissez une longueur de ficelle de 8 cm. Faites passer la ficelle autour de la base du carnet, puis repassez par le trou A par-derrière.

Entourez le dos avec la ficelle, puis revenez dans le trou A par-derrière.

Entrez dans le trou B par-devant, passez la ficelle autour du dos, revenez ensuite dans B par-devant.

Passez la ficelle dans le trou C par-derrière, faites-la passer autour du dos puis retournez dans C par-derrière.

Glissez la ficelle dans le trou D par-devant, faites-la passer autour du dos et revenez dans D par-devant.

Insérez-la dans le trou E par-derrière, entourez le dos puis revenez en E par-derrière.

Enroulez la ficelle autour du haut du carnet et revenez en E par-derrière.

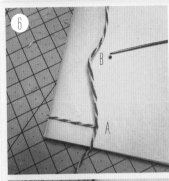

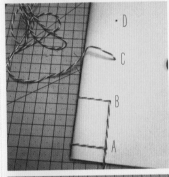

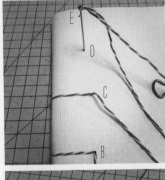

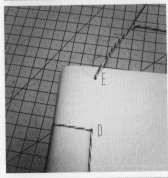

7. Reliez les trous E et D au recto du carnet, les trous D et C au verso, et les C et B à nouveau au recto.

8. Terminez la reliure par un nœud au verso avec les extrémités de la ficelle entre les trous A et B.

9. Une fois que vous maîtriserez cette reliure, essayez-vous aux reliures bleue et marron en utilisant les repères et les pas à pas (voir p. 118-119).

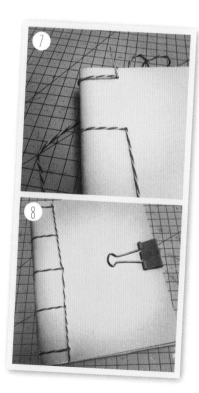

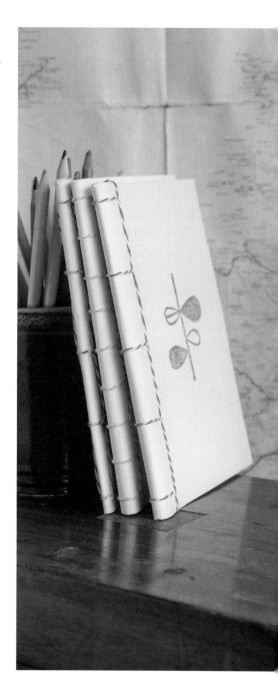

Livre d'or pour mariage inoubliable

FOURNITURES

Pour un livre d'or

- Deux blocs A4 (sans spirales) de papier aquarelle fin, renforcés par du carton gris épais
- Un cutter (ou scalpel) et un tapis de découpe
- Une règle en métal
- De l'adhésif double face
- Deux rectangles de papier faits main orné de différents motifs (un format A4 avec une marge de 3 cm tout autour)
- Un crayon à papier
- Du ruban de masquage
- Un bâtonnet de colle
- Des ciseaux à cranter de formes variées
- Deux feuilles A4 de papier kraft
- De l'adhésif en aérosol (facultatif)
- Une pince à dessin
- Deux vis de reliure de 2 cm
- Un bloc de bois (support de perçage)
- Une perceuse et une mèche de la même taille que les vis à reliure
- Un tournevis (facultatif)
- De la colle PVA
- Des petites enveloppes

J'ai confectionné plusieurs livres d'or pour des amis. C'est un superbe cadeau à offrir aux mariés. Gardez-le avec vous tout au long de la journée et faites-le remplir par tous les invités. Les enveloppes disséminées à l'intérieur permettent de conserver des petits souvenirs. Et si vous mettez la main sur un Polaroïd, n'hésitez pas à y glisser quelques clichés.

LA COUVERTURE DU LIVRE

1. Ôtez les couvertures des blocs. Conservez les renforts en carton : ils vous serviront à fabriquer la couverture du livre. Séparez les feuilles les unes des autres. Enlevez l'excédent de colle resté au niveau de la jointure.

2. Posez l'un des deux morceaux de carton gris sur le tapis de découpe. Orientez-le au format paysage. Avec un cutter et une règle, découpez une bande verticale de 5 mm de large sur un des côtés, puis jetez-la. Mesurez et découpez une autre bande verticale de 3 cm de large à gauche du carton. Vous avez à présent un grand morceau de carton et un petit. Fixez une bande d'adhésif double face de 1 cm de large dans la largeur du grand morceau de carton et une autre dans la longueur du petit. Mettez-les de côté.

3. Centrez le carton gris non découpé sur le verso de l'un des rectangles de papier à motifs. Tracez les contours du carton, puis enlevez-le. Ôtez la pellicule protectrice de l'adhésif double face sur les morceaux de carton gris découpés. Positionnez ces deux morceaux, adhésif vers le bas, sur le rectangle dessiné de sorte que leurs dimensions coïncident avec les traits. Comme vous avez enlevé une bande de

SUITE >>>

5 mm, les deux morceaux de carton seront espacés de 5 mm. Ce sera la charnière du plat de devant.

4. Coupez les quatre angles de la feuille en biais en laissant environ 2 mm de papier sur la pointe. Fixez des bandes d'adhésif double face le long des bords du carton.

5. Enlevez la pellicule de l'adhésif depuis le bord supérieur et rabattez délicatement le papier. Appuyez bien.

6. Répétez l'opération avec une largeur adjacente. Là où les rabats se chevauchent, dissimulez le papier superflu à l'intérieur d'un pli. Faites de même avec les deux autres côtés du carton.

LA RELIURE DU LIVRE

7. Découpez un rectangle de 12 × 25 cm dans l'autre papier à motifs. Posez ce rectangle (format portrait), verso face à vous, sur une surface plane. Placez une bande d'adhésif double face le long de sa longueur gauche. Mettez le plat de devant (côté papier) par-dessus. Veillez à ce que le papier à motifs chevauche le plat de devant en carton de 1,5 cm. Cette reliure renforcera ainsi la charnière.

8. Fixez une bande de ruban de masquage sur le bord supérieur intérieur du plat de devant le long de la reliure. Repliez la marge supérieure de la reliure par-dessus (8A). Pliez en biais le bord supérieur de la marge restante de la reliure à droite du carton (8B). Faites de même avec la marge inférieure. Puis encollez tout l'intérieur de la reliure avec un bâtonnet. Rabattez ce papier encollé par-dessus le plat de devant. Appuyez bien.

9. Pendant que la colle sèche, pliez la charnière d'avant en arrière plusieurs fois pour permettre au papier de se détendre. Continuez à aplanir le papier en même temps et il se mettra en place.

10. Répétez les étapes 4 à 8 avec l'autre carton gris pour réaliser le plat de derrière. Coupez-le aux mêmes dimensions que le plat de devant.

TERMINER LE CARNET

11. Dissimulez les bords irréguliers de la reliure situés à l'intérieur de la couverture. Pour cela, découpez aux ciseaux à cranter une bande de 1 cm tout autour des deux feuilles de papier kraft. Encollez leur verso avec le bâtonnet ou l'adhésif

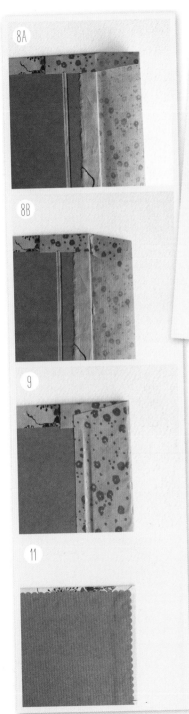

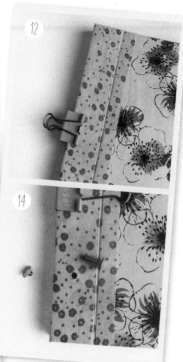

au crayon. Faites de même
avec l'autre repère.

14. Faites entrer la longue tige
de la vis dans l'un des trous
par l'avant. Vissez la partie la
plus courte à l'intérieur de cette
tige. Resserrez à l'aide d'un
tournevis au besoin. Faites
de même avec l'autre vis.

15. Collez de jolies enveloppes
avec le bâtonnet de colle pour
conserver des souvenirs de
cette journée. Vous pouvez
aussi déposer des morceaux
de papiers ou des étiquettes
à bagages sur les tables pour
que les invités laissent
des petits mots.

en aérosol. Positionnez-les à
l'intérieur, sur les deux parties
de la couverture. Puis appuyez
bien.

12. Glissez les feuilles de papier
aquarelle entre le plat de devant
et le verso. Alignez-les bien
avec les bords. Maintenez le
tout avec une pince à dessin.
Repérez les emplacements
des vis sur la reliure à 1,5 cm
du bord latéral, et à 5 cm des
bords supérieurs et inférieurs.

13. Posez le livre sur le morceau
de bois. Prenez une mèche
adaptée au diamètre des vis.
Maintenez fermement le livre
pour qu'il ne tourne pas sur lui-
même. Percez ensuite un trou
au niveau d'un repère marqué

Un bouquet d'anémones et de camélias

Bien entendu, rien ne rivalise avec la beauté des fleurs fraîchement coupées, mais ces versions papier de mes fleurs préférées feront un bouquet décalé pour une jolie mariée. Le secret pour que les fleurs gardent leur belle forme courbe tient… dans un moule à cupcake.

Pour un bouquet
- Un crayon à papier
- Du carton pour les gabarits
- Des ciseaux
- Du papier crépon (pour fleuriste) blanc, noir et vert citron
- Un moule à cupcake
- De la colle PVA
- Des ciseaux à cranter
- Dix boules en papier ou en polystyrène de 2 cm de diamètre
- Une boule en polystyrène de 15 cm de diamètre
- Un petit bol ou une tasse
- Des épingles à tête de verre
- 20 cm de ruban gros-grain

LES ANÉMONES

1. Reportez le gabarit du pétale d'anémone (voir p. 120) sur le carton.

2. Découpez six rectangles de papier crépon blanc un peu plus grands que le gabarit. Superposez-les en veillant à ce que le sens du grain s'oriente bien de haut en bas sur le futur pétale. Posez le gabarit au sommet de la pile. Tracez-en les contours, puis découpez les pétales.

3. Prenez la pile de pétales entre le pouce et l'index de chaque main. Étirez-les ensuite doucement afin d'en incurver les bords.

4. Découpez un disque de 2 cm de diamètre dans le papier crépon blanc. Placez-le au fond du moule à cupcake. Disposez trois pétales autour du disque en les faisant se chevaucher. Fixez-les avec une pointe de colle PVA.

SUITE >>>

5. Collez les pétales restants sur les trois premiers de manière qu'ils se chevauchent tous. Posez une pointe de colle au centre.

6. Avec les ciseaux à cranter, découpez un disque de 8 cm de diamètre dans le papier crépon noir. Incisez-le tous les 2 cm pour figurer les étamines. Collez-le au centre des pétales blancs.

7. Faites une boule de papier crépon noir, d'environ 2 cm de diamètre. Recouvrez-la de crépon noir. Lissez-la, puis collez-la au cœur de l'anémone. Laissez-la sécher.

LES CAMÉLIAS

8. Reportez les gabarits des pétales de camélia (voir p. 120) sur du carton.

9. Découpez quatre petits pétales, sept moyens et cinq grands dans le crépon blanc.

10. Étirez-les, pour les incurver comme précédemment.

11. Découpez un autre disque de crépon blanc d'environ 3 cm de diamètre. Glissez-le au fond du moule. Collez les cinq grands pétales au disque en les faisant se chevaucher.

12. Collez les sept pétales moyens par-dessus les grands. Assurez-vous qu'ils se chevauchent bien. Pour cela, procédez en deux étapes : placez quatre pétales en cercle, puis formez un autre cercle avec les trois autres.

13. Collez les quatre petits pétales par-dessus. Pour le cœur du camélia, découpez un rectangle de papier crépon blanc de 3 × 15 cm. Pliez-le en cinq dans sa longueur. Découpez un arc de cercle dans la largeur du rectangle obtenu. Une fois déplié, il aura un bord festonné.

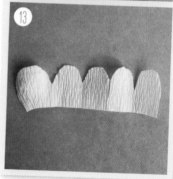

14. Donnez à ce rectangle la forme d'une fleur en bouton. Collez-le au centre de la fleur puis laissez-le sécher.

48

LES BOUTONS, PETITES FLEURS ET FEUILLES

15. Recouvrez les boules en papier ou en polystyrène de 2 cm avec du papier crépon blanc.

16. Découpez ensuite un rectangle de 3 × 24 cm de crépon blanc avec le sens du grain orienté en biais. Pliez-le en huit dans sa longueur.

17. Découpez un arc de cercle dans une largeur du rectangle plié comme précédemment.

18. Dépliez le rectangle au bord festonné obtenu. Collez l'une de ses extrémités sous la boule. Étirez doucement le rectangle et enroulez-le autour de la boule pour qu'il l'enveloppe. Collez-le au fur et à mesure. Laissez sécher. Vous collerez ce bouton à l'endroit voulu lors du montage du bouquet.

19. Pour les petites fleurs, découpez des rectangles de 3 × 15 cm à bord festonné dans du papier crépon blanc. Puis enroulez-les de la même manière que le cœur des camélias.

20. Découpez à main levée des feuilles dans le papier crépon vert citron avec les ciseaux à cranter.

LE BOUQUET

21. Confectionnez environ seize anémones, douze camélias, huit boutons et quelques feuilles et petites fleurs.

22. Recouvrez la boule en polystyrène de 15 cm avec du papier crépon blanc. Placez-la sur un petit bol ou une tasse pour qu'elle ne roule pas.

23. Épinglez les plus grandes fleurs sur la boule : deux ou trois épingles dans chaque fleur devraient suffire. Une fois que vous serez satisfait de votre composition, collez les fleurs. Comblez les espaces en collant des boutons, des feuilles et des petites fleurs.

24. Pliez le ruban en deux et collez ses deux extrémités. Puis fixez-le au bouquet pour que la mariée puisse y glisser son poignet.

CONSEIL !

Si possible, achetez du papier crépon destiné aux fleuristes. Ce produit de très bonne qualité possède une élasticité et une solidité que n'ont pas les papiers crépon bon marché.

Une guirlande fleurie

Ces petites fleurs délicates pourront décorer de nombreux projets. Ici, elles apportent la touche finale à un très joli paquet cadeau, mais elles agrémenteront à merveille une carte de vœux. N'hésitez pas à confectionner un gros bouquet pour un centre de table ou à les décliner en minuscules confettis.

Pour un paquet cadeau
- Deux carrés de 8 cm de côté de papier coloré (pour les grandes fleurs)
- Deux carrés de 5 cm de côté de papier coloré (pour les petites fleurs)
- Des carrés de 4 cm de côté de papier coloré (pour les feuilles)
- Des ciseaux
- Un cutter (ou scalpel) et un tapis de découpe
- Une règle en métal
- Un bloc de bois (support de perçage)
- Un poinçon
- Des petites attaches parisiennes dorées
- Une longueur de cordelette dorée ou de ruban fin (facultatif)
- Une boîte cadeau
- Un bâtonnet de colle ou des pastilles adhésives

LES FLEURS

1. À l'aide des gabarits (voir p. 120), découpez les pétales dans du papier coloré. Il vous faudra deux ensembles de pétales de couleurs différentes pour chaque fleur.

2. Prenez un ensemble de pétales, puis avec le dos du cutter, faites deux rainures le long des traits droits A et B marqués sur le gabarit. Retournez les pétales, puis rainez les deux diagonales C et D.

3. Pliez le long du trait A. Dépliez-les, puis repliez le long du trait B. Retournez les pétales et pliez-les le long des traits C et D.

SUITE >>>

4. Pincez les pétales deux par deux. Donnez ainsi un peu de relief à l'ensemble.

5. Répétez les étapes 1 à 4 avec un carré d'une couleur différente mais de même taille.

6. Posez la fleur sur un morceau de bois. Avec un poinçon, trouez le centre des pétales.

7. Superposez les deux ensembles de pétales. Insérez une attache parisienne dans les trous. Arrangez les pétales de sorte que les deux épaisseurs soient visibles.

8. Répétez les étapes 1 à 7 jusqu'à ce que vous ayez le nombre de fleurs souhaité.

LES FEUILLES

9. À l'aide du gabarit (voir p. 120), découpez les feuilles dans du papier coloré. Au centre, faites une rainure au trois quarts de la feuille, puis pliez-la le long de ce trait.

10. Pour décorer une boîte cadeau, trouez les feuilles avec le poinçon et enfilez-les sur un fin ruban ou une cordelette dorée. Puis enroulez celui-ci autour de la boîte. Collez les fleurs au sommet de la boîte avec une pointe de colle ou une pastille adhésive.

Une étiquette cadeau : la rose

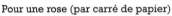

Malgré leur extrême simplicité, ces roses brillent par leur élégance.
Qu'elles soient très grandes ou minuscules, elles vous charmeront par leur beauté.

FOURNITURES

Pour une rose (par carré de papier)
• Des carrés de papier coloré de tailles différentes
• Des ciseaux
• Un pistolet à colle

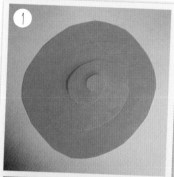

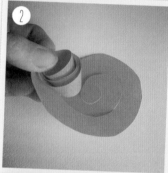

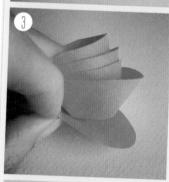

CONSEIL !

Pour un effet garanti, collez ces roses sur la branche noueuse d'un saule et placez l'ensemble au centre d'une table.

1. Découpez une spirale dans un carré de papier. Assurez-vous qu'elle n'est ni trop large ni trop étroite. Si vous préférez, dessinez-la sur le papier avant de la découper.

2. Enroulez la spirale sur elle-même en commençant par l'extérieur. Tenez-la bien pour l'empêcher de se dérouler.

3. Une fois la spirale terminée, déposez une pointe de colle à l'aide du pistolet au centre de la fleur. Elle maintiendra les pétales en place.

4. Réalisez des bouquets de roses de tailles différentes et de couleurs variées pour décorer vos cadeaux. Vous pouvez les accompagner de quelques feuilles (voir les instructions, p. 61 et le gabarit p. 120).

Une étiquette cadeau : la passiflore

Les fleurs de la passion font partie de mes fleurs préférées. Bien qu'il s'agisse ici d'une version très stylisée, cette étiquette cadeau imite très bien la fleur véritable.

FOURNITURES

Pour une fleur
- Un crayon à papier
- Des ciseaux
- Une règle en métal
- Un poinçon
- Un cutter (ou scalpel) et un tapis de découpe
- Un carré de 14 cm de côté de papier violet
- Un carré de 7 cm de côté de papier blanc
- Un rectangle de 13 × 2 cm de papier jaune
- Du ruban adhésif

1. À l'aide des gabarits de la page 120 (agrandis à 200 %), découpez la grande fleur dans le papier violet et la petite dans le papier blanc.

2. Au recto des fleurs, faites des rainures le long des pointillés situés au milieu des pétales. Retournez-les et rainez-les cette fois le long des pointillés séparant les pétales entre eux.

3. Pliez tous les pétales en accordéon. Les fleurs vont un peu se refermer. Percez un petit trou au centre de chacune avec un poinçon.

4. Enroulez le rectangle de papier jaune autour d'un crayon. Collez l'une de ses extrémités avec un petit morceau d'adhésif.

5. Retirez le crayon. Découpez des fines bandelettes dans la longueur du rectangle jusqu'au niveau de l'adhésif. Faites friser chaque bandelette avec des ciseaux afin de réaliser le cœur de la passiflore.

6. Insérez ce cœur au centre de la fleur blanche. Puis glissez le tout à l'intérieur de la fleur violette. L'adhésif situé à l'extrémité servira de butée.

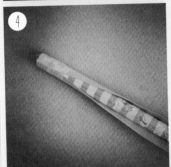

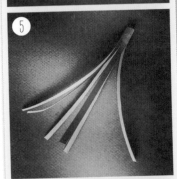

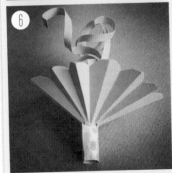

Tendrement
Christine

Une étiquette cadeau : la marguerite

Cette fleur réserve une surprise à son destinataire. En l'ouvrant, il découvrira un message caché.

FOURNITURES

Pour une étiquette
- Un carré de 20 cm de côté de papier jaune épais
- Un carré de 10 cm de côté de papier orange épais
- Un carré de 8 cm de côté de papier blanc (pour le cœur de la fleur)
- Un rectangle de 6 × 10 cm de papier vert
- De la colle PVA
- Des ciseaux
- Un cutter (ou un scalpel) et un tapis de découpe
- Une règle en métal

1. À l'aide des gabarits de la page 120 (agrandis à 200 %), découpez une marguerite jaune, un socle orange, un cœur de fleur blanc et trois feuilles vertes dans les morceaux de papier. Rainez la marguerite le long des traits indiqués.

2. Pliez la fleur en commençant par le haut et progressez en la faisant tourner. Pliez les pétales vers l'intérieur le long des cinq côtés du cœur de la fleur.

3. Pincez les pétales deux par deux. Resserrez-les le long des six rainures séparant chaque pétale.

4. Aplatissez-les délicatement en suivant le sens des aiguilles d'une montre. Ils se plieront de côté et se chevaucheront jusqu'à refermer la fleur. Cette opération peut mettre à mal votre patience…

5. Rouvrez la fleur et fixez le cœur blanc avec une pointe de colle. Écrivez-y un message si vous le souhaitez. Puis collez la marguerite sur le réceptacle orange.

6. Pliez chaque feuille en deux sur toute la longueur et rainez la nervure centrale ainsi créée. Collez les feuilles entre la marguerite et le réceptacle orange.

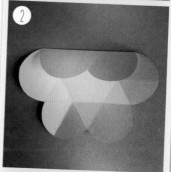

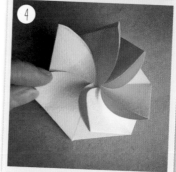

CONSEIL

Pour ce projet,
préférez du carton
lisse à une surface
texturée.

Un chouette paquet cadeau

Lors d'une fête, remplissez ces jolies petites boîtes de bonbons et distribuez-les aux enfants qui les emporteront chez eux. Elles font aussi de chouettes paquets pour offrir des petits bibelots, des bracelets ou des perles.

Pour une boîte
- Une feuille A4 de carton léger ou d'une épaisseur moyenne
- Du ruban de masquage
- Un cutter (ou scalpel) et un tapis de découpe
- Un carré de 15 cm de côté de carton d'une couleur contrastée
- De l'adhésif double face
- Des ciseaux
- De l'adhésif en papier Washi

LA BOÎTE

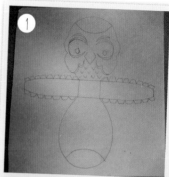

1. Agrandissez le gabarit de la boîte (voir p. 121). Tracez-en les contours sur la feuille A4 de carton léger à moyen.

2. Posez le carton sur le tapis de découpe. Maintenez-le en place avec du ruban de masquage.

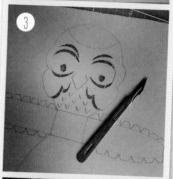

3. Au cutter, découpez et évidez le visage de la chouette selon les indications du gabarit : enlevez les yeux et les sourcils, découpez la forme globale des plumes. Incisez le bec et les plumes sous le bec de la partie inférieure.

4. Découpez le reste de l'oiseau à l'exception des bords dentelés des rabats de côté. Cela sera plus facile pour la suite.

5. Rainez le carton aux endroits indiqués sur le gabarit : la courbe située au sommet de la tête, celle en haut du dos, les quatre traits de la base de la boîte, les traits des rabats de côté, et ceux du bec et des plumes.

SUITE >>>

>>>

6. Agrandissez le gabarit de la doublure (voir p. 121). Reportez-le sur le carré de carton de 15 cm, puis découpez.

7. Fixez une bande d'adhésif double face le long des rabats. Alignez l'adhésif sur les longues rainures dessinées, puis découpez-le pour qu'il soit invisible une fois la boîte montée.

8. Découpez les crans le long des rabats. Grâce à eux, les rabats épouseront bien les courbes de la chouette.

9. Pliez les crans, puis retirez la pellicule de l'adhésif.

10. Posez la chouette, visage vers le bas et verso face à vous, sur une surface propre et plane. Débutez le montage. Repliez la base et les côtés de la boîte. Mettez en place un rabat sur l'oiseau en épousant sa forme, puis appuyez bien. Faites de même de l'autre côté.

11. Collez une bandelette d'adhésif double face à l'intérieur de la boîte, derrière le visage de la chouette. Fixez-y la doublure.

12. Rabattez le dos sur les rabats. Appuyez bien.

13. Pliez le rabat incurvé situé au sommet du visage et celui du haut du dos pour refermer la boîte. Maintenez-les en place avec un morceau d'adhésif en papier Washi. Votre chouette est terminée !

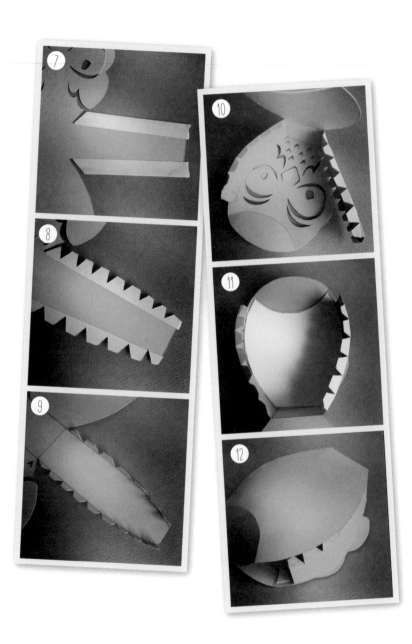

Des campanules lumineuses

La blancheur des ampoules crée une jolie lueur au cœur des campanules. Vous pourrez aussi décliner cette guirlande en blanc pour des perce-neige ou en jaune pour des primevères.

FOURNITURES

Pour une guirlande
- Un morceau de carton (pour le gabarit)
- Une feuille A4 de papier coloré (80 g/m2) par ampoule
- Un crayon à papier
- Une règle en métal
- Des ciseaux
- Un bâtonnet de colle
- Une guirlande lumineuse à piles (avec des LED)

ATTENTION !
Bien que les guirlandes à LED ne chauffent pas, ne les laissez pas allumées toute la nuit ou sans surveillance.

LES FLEURS

1. Reportez le gabarit (voir p. 121) sur du carton, puis découpez-le. Découpez un carré de 21 cm de côté dans une feuille de papier coloré.

2. Pliez ce carré en quatre. Marquez chaque pli avec une règle ou les ongles. Posez le papier plié sur une surface propre et plane. Positionnez-le en losange et placez les bords non pliés vers le bas.

3. Rabattez le côté droit du losange vers l'intérieur. Procédez à l'identique avec le côté gauche. Vous obtenez une forme de cerf-volant.

4. Dépliez cette forme pour obtenir de nouveau un losange. Placez le gabarit sur le papier (voir photo). Puis tracez-en les contours.

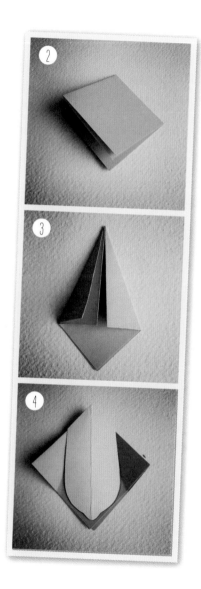

SUITE >>>

5. Découpez la forme aux ciseaux en suivant les contours.

6. Ouvrez la fleur à demi. Rabattez le petit pli en forme de V situé en haut de chaque pétale de sorte qu'il soit bien net et qu'il se plie facilement dans les deux sens.

7. Ouvrez toute la fleur. Rabattez les plis en formes de V vers l'intérieur pour créer des plis vallées (voir instructions p. 12-13).

8. Appliquez de la colle en bâtonnet sur les plis vallées d'un pétale. Collez-le aux deux pétales adjacents. Assemblez ainsi les quatre pétales.

9. La fleur a maintenant la forme d'une cloche.

10. Aux ciseaux, recourbez chaque pétale vers l'extérieur. Chaque petit abat-jour prend alors la forme d'une fleur.

11. Réalisez autant de fleurs en papier que la guirlande compte de LED. Percez un petit trou au sommet de chaque abat-jour. Introduisez-y délicatement une ampoule.

Une étoile sur un mur...

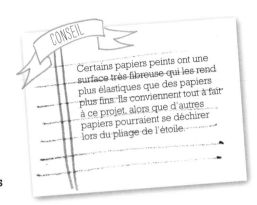

CONSEIL

Certains papiers peints ont une surface très fibreuse qui les rend plus élastiques que des papiers plus fins. Ils conviennent tout à fait à ce projet, alors que d'autres papiers pourraient se déchirer lors du pliage de l'étoile.

Ces étoiles en papier évoquent certains porte-bonheur en bois que l'on rencontre dans l'art populaire. En vous servant de grandes feuilles de carton et de chutes de papier peint, vous pourrez les agrandir à souhait.

FOURNITURES

Pour une étoile
- Un crayon à papier
- Une règle en métal
- Du carton gris de 3 mm d'épaisseur
- Un cutter (ou scalpel) et un tapis de découpe
- Des chutes de papier peint ou un autre papier d'une épaisseur moyenne
- De l'adhésif en aérosol
- De l'adhésif double face
- Des ciseaux
- Une perforatrice ou un poinçon
- Une cordelette ou un ruban (pour la suspendre)

L'ÉTOILE

1. Agrandissez le gabarit (voir p. 122) aux dimensions de votre choix. Reportez les contours de l'étoile sur le carton gris. Avec un crayon et une règle, tracez les traits intérieurs qui partent des pointes (voir gabarit).

2. En vous aidant d'une règle, découpez les contours de l'étoile au cutter. Retournez le carton sur l'autre face et tracez au crayon les traits qui partent des pointes comme précédemment sur le recto.

3. Sur une face, rainez les petits traits tracés en rouge sur le gabarit.

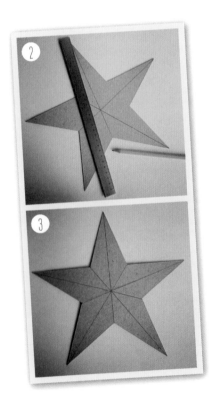

SUITE >>>

VARIANTE

Pour la guirlande, j'ai opté pour des papiers un peu épais à motifs au lieu de recouvrir le carton. Avec le gabarit et la même méthode, réalisez plusieurs étoiles en papier de trois tailles différentes : 15 cm, 12 cm et 9 cm d'une pointe à une autre. Rainez le papier le long des traits uniquement au verso. Réfléchissez à une composition harmonieuse. Puis enfilez du fil à broder sur une aiguille et passez-le dans une branche ou une cordelette pour réunir ces étoiles en une jolie guirlande.

4. Retournez l'étoile, puis rainez le carton le long des traits bleus du gabarit.

5. Gardez cette face vers vous. Pincez et pliez délicatement chaque branche pour lui donner du relief.

RECOUVRIR L'ÉTOILE

6. Posez un morceau de papier peint, verso face à vous, sur une surface propre et plane. Pulvérisez de l'adhésif en aérosol sur la partie bombée (le recto) de l'étoile. Placez cette face contre le papier peint. Aplatissez l'étoile. Découpez le papier peint en laissant une marge de 2 cm tout autour de l'étoile.

7. À chaque angle de l'étoile (entre les branches), enlevez un morceau de papier peint (voir photo). Appliquez une bande d'adhésif double face sur les deux côtés de chaque branche. Ôtez la pellicule protectrice.

8. Rabattez les bords du papier peint sur l'adhésif. Redécoupez le papier qui dépasse des pointes.

9. Retournez l'étoile pour voir le recto. Redonnez-lui sa forme. Avec un poinçon ou une perforatrice, percez une des branches. Puis enfilez une cordelette ou un ruban pour la suspendre.

Un centre de table aquatique

Pour un centre de table
- Du carton pour les gabarits
- Des feuilles A2 de papier blanc ou crème, translucide ou bien à motifs (de 120 à 180 g/m²)
- Un crayon à papier
- Des ciseaux
- Un cutter (ou un scalpel) et un tapis de découpe
- Un bâtonnet de colle
- Une règle en métal
- Du papier jaune translucide ou du papier de soie
- Des veilleuses LED
- Une feuille A1 de carton vert (210 g/m²) pour chaque feuille
- Une grande assiette

Avec ces nénuphars lumineux, votre table voguera sur des eaux calmes. À la lueur vacillante des veilleuses, de subtiles ombres apparaîtront à travers le papier.

LES FLEURS

1. Agrandissez les gabarits (voir p. 121), puis reportez-les sur un morceau de carton. Découpez-les.

2. Tracez-en les contours sur du papier blanc ou crème, puis découpez-les aux ciseaux, ou bien placez les gabarits en carton sur le papier et découpez le long des contours au cutter. Confectionnez ensuite deux grands pétales et deux petits par fleur.

ATTENTION !
N'utilisez que des veilleuses LED à piles, jamais de bougies.

SUITE >>>

3. Avec le dos du cutter, rainez chaque pétale d'une grande fleur en suivant les pointillés du gabarit. Pliez chaque pétale. Faites de même avec toutes les fleurs.

4. Superposez deux grandes fleurs en alternant les pétales. Collez-les en leur cœur.

5. Préparez les petites fleurs de la même manière. Collez ensuite la paire de petites fleurs au centre de la grande en alternant les pétales.

6. Découpez un rectangle de 14 × 5 cm dans le papier jaune. À 1,5 cm du bord de l'une des longueurs, faites une rainure. Découpez des pointes à main levée le long de cette rainure en les espaçant de 2 cm.

7. À l'aide de ciseaux, faites des incisions longues de 2,5 cm et espacées de 5 mm le long du côté opposé pour former les étamines. Faites « friser » quelques étamines (voir p. 13).

8. Joignez ses extrémités avec une pointe de colle afin d'obtenir une forme circulaire. Pliez les pointes vers l'intérieur. Encollez chaque pointe sur son envers, puis collez-les pour fixer les étamines au centre du nénuphar. Enfin, glissez les veilleuses LED au centre.

LA FLEUR EN BOUTON ET LES FEUILLES

9. Pour créer une fleur en bouton, allumez une veilleuse, puis placez-la dans une fleur. Refermez ensuite les pétales et collez-les.

10. Pour réaliser une feuille, posez une grande assiette sur le carton vert, puis tracez-en les contours et découpez. Avec les ciseaux, découpez un morceau du disque vert comme une part de gâteau. Arrondissez les angles.

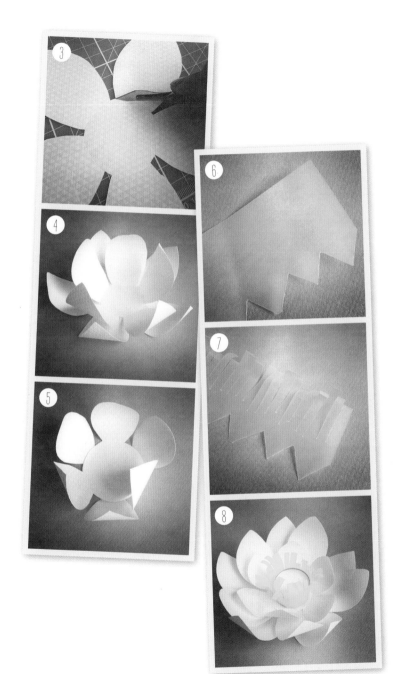

Jeux de guirlandes

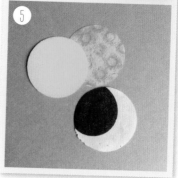

Pour une guirlande de chaque

- Une perforatrice en forme de cercle de 5 cm de diamètre
- Des papiers colorés et à motifs d'épaisseur moyenne
- Une machine à coudre
- Du fil assorti
- Des ciseaux
- Une aiguille
- Une ficelle de couleur ou du fil de coton pour crochet
- Une règle en métal
- Un cutter (ou scalpel) et un tapis de découpe
- Un bâtonnet de colle
- Une perforatrice en forme de fleur de 5 cm de diamètre

VARIANTE

Réalisez une guirlande en plaçant les sphères à côté les unes des autres. Pour cela, ne séparez pas les piles à l'étape 5. Dépliez les sphères pour les ouvrir.

LA GUIRLANDE DE SPHÈRES

1. Découpez 30 disques à l'aide de la perforatrice dans les papiers colorés et à motifs. Si vous utilisez du papier fait main ou très fibreux, la perforatrice peut parfois se coincer. Au lieu de perforer le papier comme d'habitude, donnez un petit coup sec et rapide.

2. Empilez soigneusement trois disques de papiers différents. Répartissez ainsi tous les disques.

3. Centrez une pile sous le pied-de-biche de la machine à coudre. Cousez lentement vers le bas avec de longs points droits.

4. Quand vous arriverez au bord de cette première pile, arrêtez la machine. Posez une autre pile sous le pied-de-biche. Répétez l'opération jusqu'à ce que vous ayez cousu toutes les piles à la suite les unes des autres.

5. Séparez les piles les unes des autres aux ciseaux. Prenez le disque du dessus d'une première pile, puis pliez ses deux bords l'un vers l'autre pour lui donner du relief. Faites de même avec le disque du dessous. Répétez l'opération avec toutes les piles.

6. Glissez la ficelle ou le fil de coton dans une aiguille. Piquez le haut de chaque sphère et répartissez-les à égale distance sur la ficelle. Suspendez la guirlande.

LA GUIRLANDE À FANIONS

1. À l'aide de la règle et du cutter, découpez des bandes larges de 2,5 cm et de la longueur des feuilles de papier.

2. À l'une des extrémités de la bande, découpez deux petites diagonales aux ciseaux, qui se rejoignent en un point. Procédez à l'identique 6 cm plus loin sur la bande. Peu importe si les fanions ont des longueurs différentes. Poursuivez jusqu'au bout de la bande.

3. En vous aidant d'une règle, faites une rainure avec le dos du cutter à environ 2 cm de la pointe du fanion. Pliez le papier le long de cette rainure, puis dépliez-le.

4. Disposez les fanions sur une surface propre et plane à équidistance les uns des autres. Réfléchissez à une jolie composition.

5. Avec le bâtonnet, déposez de la colle sur chaque fanion le long de la pliure.

6. Glissez la ficelle ou le fil de coton sur la pliure des fanions. Laissez environ 20 cm de ficelle aux deux extrémités de la guirlande. Alignez bien les fanions, puis rabattez chaque pointe par-dessus la ficelle.

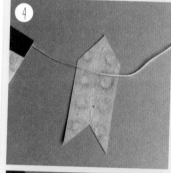

LA GUIRLANDE DE FLEURS

1. À l'aide de la perforatrice en forme de fleur, créez 50 fleurs dans le papier coloré.

2. Mettez la moitié des fleurs de côté. Placez l'autre moitié sur une surface propre et plane. Alignez les fleurs à égale distance les unes des autres. Harmonisez les couleurs et les motifs.

3. Déposez un peu de colle au centre de chaque fleur.

4. Déposez la ficelle ou le fil de coton au milieu des fleurs. Laissez environ 20 cm à chaque extrémité de la guirlande. Prenez une fleur dans la pile de côté. Posez-la sur une fleur encollée. Alignez-les bien, puis appuyez. Vous pouvez soit assortir les fleurs par paires, soit varier les couleurs et motifs de chaque face. Faites de même avec toutes les fleurs.

À l'ombre des arbres

Si vous placez ces arbres délicats dans un cadre vitrine, vous ne risquerez pas de les écraser et vous pourrez profiter les ombres qu'ils projettent sur l'arrière-plan. L'effet est garanti, que vous choisissiez un fond monochrome, à motifs ou blanc.

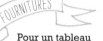

Pour un tableau
- Un carré de 20 cm de côté de papier aquarelle d'épaisseur moyenne
- Un cadre vitrine carré de 20 cm de côté
- Un crayon à papier
- Une règle en métal
- Du papier blanc fin
- Du ruban de masquage
- Un cutter (ou scalpel) et un tapis de découpe
- Une perforatrice
- Des chutes de papiers colorés
- Un bâtonnet de colle
- Des ciseaux

1. Tracez au crayon des repères pour délimiter un carré de 15,5 cm de côté au centre du papier aquarelle. Cette zone sera visible une fois le tableau encadré. Si vous choisissez un cadre de dimensions différentes, recalculez la taille du carré. Marquez des repères à chaque angle du carré plutôt que des traits. Ils seront moins visibles après l'encadrement.

2. Reportez le gabarit (voir p. 122) sur du papier blanc fin, puis découpez-le. Placez-le, recto vers vous, au centre du carré et fixez-le ensuite au papier aquarelle avec du ruban de masquage.

SUITE >>>

3. Avec un cutter bien affûté, découpez les arbres dans le papier aquarelle. Souvenez-vous, les traits pleins sont les repères de découpe ; les pointillés correspondent aux rainures et pliures. Procédez lentement et avec minutie. Effectuez les découpes en V dans le pin et en demi-cercle dans le buisson rond. Utilisez une règle pour obtenir des troncs bien droits. Découpez ainsi tous les arbres.

4. Ôtez le gabarit et vérifiez votre travail. Découpez bien les endroits où le cutter n'a pas traversé les deux épaisseurs de papier. En général, ces endroits se situent aux extrémités des feuilles. Servez-vous d'une perforatrice pour faire le trou dans l'arbre rond.

5. En vous aidant d'une règle, rainez les arbres le long des pointillés avec le dos du cutter. Pliez ensuite les arbres à moitié. Pour les morceaux de papier très étroits, servez-vous de la lame du cutter pour les soulever et les plier.

6. Découpez des rectangles dans les chutes de papiers colorés. Chaque rectangle doit avoir à peu près les mêmes dimensions qu'un arbre.

Avec le bâtonnet, encollez le verso du papier aquarelle en suivant les contours des arbres. Collez un morceau de papier derrière chaque arbre. Veillez à ce qu'il ne dépasse pas trop des contours de l'arbre sinon il restera visible derrière l'arbre.

7. Retournez votre œuvre. Découpez l'excédent de papier aquarelle de sorte qu'elle s'insère bien dans le cadre.

83

Des rennes dans le salon

Ces décorations réalisées en un tour de main feront leur petit effet lors des fêtes de Noël. Bien entendu, rien ne vous empêche de les fabriquer à une autre période de l'année.
La maman et son petit suivent le même processus de réalisation.

FOURNITURES

Pour un renne
- Des grands cartons
- Un crayon à papier
- Un feutre
- Une règle en métal
- Un cutter (scalpel) ou des ciseaux
- De l'adhésif d'emballage ou du gaffer
- Du ruban adhésif double face large

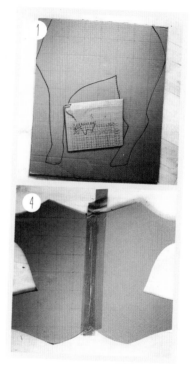

POUR LA MAMAN ET SON PETIT

1. Pour chaque renne, vous aurez besoin de deux morceaux de carton pour le corps et de deux autres pour la tête. Commencez par le corps en veillant à ne pas reproduire la queue, tracez-le sur un morceau de carton (voir p. 114). Servez-vous d'un quadrillage pour agrandir les gabarits (1 cm² = 7 cm²).

2. Découpez le carton avec un cutter ou des ciseaux. Si vous optez pour le cutter, posez le carton sur une surface appropriée.

3. Placez le corps découpé sur l'autre morceau de carton. Dessinez-en les contours et découpez l'autre partie.

4. Posez les deux parties sur une surface plane. Faites en sorte que les bords supérieurs se touchent et orientez la face quadrillée vers vous. Assemblez-les avec de l'adhésif d'emballage ou du gaffer. C'est la colonne vertébrale du renne. Découpez l'excédent d'adhésif.

5. Répétez les étapes 1 à 3 pour confectionner les deux parties de la tête. Disposez-les sur une surface plane et assemblez-les le long du cou.

6. Fixez des bandes d'adhésif double face sur le corps en A et B comme indiqué sur le gabarit. Collez la tête sur le corps.

7. Agrandissez et découpez la queue de la maman renne sur le bord du carton plié en deux. Fixez-la à la croupe du renne (C) avec de l'adhésif double face.

Un mobile à plumes

J'adore les couleurs de ce mobile et la manière dont les plumes se balancent doucement au moindre mouvement. C'est aussi un excellent moyen d'utiliser enfin tous les petits morceaux de papier que vous gardiez précieusement.

Pour un mobile
- Un crayon à papier
- Du carton pour les gabarits
- De l'adhésif en aérosol
- Des morceaux de papier de couleurs et de motifs variés
- Un trombone
- Des ciseaux
- Une aiguille
- Des fils de coton colorés
- Un tambour à broder en bois de 14 cm de diamètre
- Un mètre de couturière
- Du ruban adhésif en papier Washi ou du ruban de masquage coloré, large de 1,5 cm
- Du fil en coton solide (pour le suspendre)

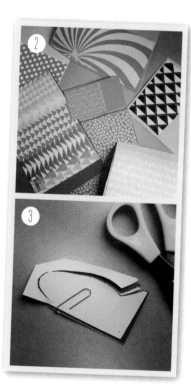

LES PLUMES

1. À l'aide des gabarits (voir p. 122-123), tracez les contours des quatre modèles de plumes sur le carton.

2. Pulvérisez le verso d'une feuille de papier coloré avec de l'adhésif. Puis collez-la au verso d'une seconde feuille. Vous obtiendrez une feuille décorée sur les deux faces. Faites de même avec d'autres feuilles de papier.

3. Placez un gabarit de plume sur deux ou trois feuilles décorées. Attachez-les avec un trombone. Découpez les plumes avec des ciseaux.

SUITE >>>

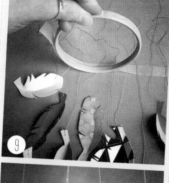

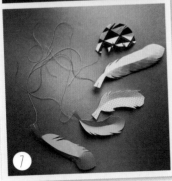

SUSPENDRE LES PLUMES

7. Enfilez un fil de coton sur une aiguille, puis passez-le dans l'extrémité d'une plume. Variez les longueurs de fil entre 5 cm et 20 cm.

8. Mesurez la circonférence extérieure du tambour à broder. Découpez un morceau de ruban adhésif en papier Washi ou du ruban de masquage coloré de cette longueur. Disposez-le sur une surface plane, côté collant vers vous. Posez les fils de coton avec les plumes le long du ruban. Variez les hauteurs.

9. Faites rouler le tambour à broder le long de l'adhésif d'une extrémité à l'autre. L'adhésif et les plumes vont se coller au tambour.

10. Découpez les longueurs de fil en trop, puis rabattez l'adhésif qui dépasse vers l'intérieur du tambour.

11. Pour suspendre le mobile, découpez deux longueurs de 50 cm de fil en coton. Nouez l'extrémité d'un fil au tambour et l'autre extrémité au côté opposé. Répétez avec l'autre longueur de fil sur deux côtés opposés.

4. Répétez l'étape 3 avec les autres gabarits et confectionnez environ 30 plumes.

5. Pratiquez de petites incisions le long des bords et enlevez de la matière pour donner aux plumes un aspect plus réaliste.

6. Rainez le milieu de chaque plume du haut vers le bas avec les ciseaux en suivant les pointillés du gabarit. Pliez-les le long de ces rainures.

Les paperolles à l'ancienne

Les paperolles (aussi appelées «quilling») sont d'étroites bandelettes de papier enroulées sur elles-mêmes et juxtaposées pour créer des motifs complexes. Grâce au carton ondulé, vous pourrez confectionner des décorations géantes pour Noël.

SUITE >>>

Pour un cœur et un flocon de neige
- Un rouleau de carton ondulé
- Un crayon à papier
- Un cutter
- Des ciseaux
- Une règle
- Des emporte-pièce en forme de cœur ou autres formes
- Une fine aiguille à tricoter
- Des pastilles adhésives
- De la colle PVA
- Du ruban (pour les suspendre)
- Un sèche-cheveux

LE CŒUR

1. Découpez plusieurs bandelettes de 1 cm de large dans le carton ondulé. Variez leurs longueurs. C'est cette longueur qui déterminera la taille de la spirale : plus la bandelette sera longue, plus la spirale sera grande.

2. Placez un emporte-pièce en forme de cœur sur une surface propre et plane. Prenez l'aiguille à tricoter dans une main et enroulez une bandelette bien serrée tout autour.

3. Une fois que la spirale a atteint la taille souhaitée, fixez l'extrémité libre de la bandelette avec une pastille adhésive à la spirale. Faites glisser la spirale de l'aiguille et disposez-la dans l'emporte-pièce. Pour obtenir une spirale moins serrée au centre, faites-la glisser de l'aiguille avant de coller l'extrémité de la bandelette et laissez-la se dérouler un peu. Collez.

4. Réalisez plusieurs spirales de tailles différentes. Remplissez l'emporte-pièce avec.

>>>

5. Confectionnez des spirales plus petites pour combler les espaces entre les grandes. Continuez jusqu'à ce que l'emporte-pièce soit rempli.

6. Assurez-vous que les spirales tiennent bien en place et ne bougent pas. Retournez l'emporte-pièce, puis replacez-le sur le plan de travail. Tassez les spirales pour aplanir leur surface.

7. Recouvrez-les de colle PVA. Étalez la colle de façon homogène. N'en mettez pas sur l'emporte-pièce, car vous auriez du mal à en extraire la décoration. Laissez sécher une nuit entière.

8. Sortez la décoration de l'emporte-pièce. Avec le cutter, ôtez les éventuels résidus de colle qui retiendraient des spirales. Si certaines se délogent, recollez-les à leur place.

9. Enfilez une longueur de ruban pour suspendre la déco.

LE FLOCON DE NEIGE

Pour le flocon, nul besoin d'emporte-pièce. Une fois que vous maîtriserez les formes de base, vous pourrez créer n'importe quel modèle.

1. Découpez sept bandelettes de 2 × 70 cm dans le carton ondulé.

2. Enroulez une bandelette en un cercle bien serré pour former le cœur du flocon. Cette spirale doit mesurer environ 3 cm de diamètre.

3. Prenez une autre bandelette, puis marquez un pli à 20 cm de l'une de ses extrémités. Enroulez une bandelette bien serrée à l'intérieur de ce pli, puis faites-la tenir avec une pastille adhésive. Enroulez tout autour le reste de la bandelette en une spirale plus lâche.

4. Tenez la torsade bien serrée entre le pouce et l'index. Écrasez-la pour obtenir une forme ovale d'environ 6 cm de long. Vous devrez peut-être adapter ses dimensions. Fixez l'extrémité libre avec une pastille adhésive.

5. Pincez ensuite l'extrémité de la spirale entre le pouce et l'index pour lui donner une forme de goutte.

6. Sur une face, recouvrez la moitié supérieure de la goutte avec de la colle PVA. Patientez jusqu'à ce qu'elle s'épaississe, vous pouvez utiliser un sèche-cheveux pour accélérer le processus. Pour les autres branches du flocon, répétez les étapes 3 à 6.

7. Découpez la bandelette restante de 2 × 70 cm en cinq bandelettes de 10 cm de long. Faites des spirales bien serrées. Arrangez les spirales et les gouttes sur une surface plane pour former un flocon.

8. Recouvrez le flocon de colle PVA. Étalez-la bien au niveau des jointures entre les spirales et les gouttes. Laissez sécher une nuit entière.

9. Enfilez un ruban à l'intérieur d'une branche pour le suspendre ou posez-le sur une table.

NOTE

Pour certaines décorations, l'emporte-pièce se révélera indispensable. Comme la taille et la forme des emporte-pièce varient, je n'ai donné ici que des indications générales. La procédure consistera toujours à remplir l'emporte-pièce avec les paperolles.

Un mobile de poissons scintillants

Dans ce mobile, tous les papiers renvoient la lumière de différentes façons, ensemble ils créent un effet presque hypnotique qui vous plongera au cœur des océans. Accentuez cette sensation en colorant le papier aquarelle avec de l'encre.

Pour un mobile
- Des papiers d'épaisseur moyenne translucides, à motifs, unis et aquarelle
- Une perforatrice
- Une perforatrice en forme de cercle de 5 mm de diamètre
- Une grande assiette
- Un rouleau de papier essuie-tout
- Un pinceau de taille moyenne
- De l'encre bleu foncé et turquoise
- Un cutt er rotatif
- Une machine à coudre
- Du fil bleu pâle

LES POISSONS

1. À l'aide des gabarits (voir p. 123), découpez 17 poissons dans des papiers différents.

2. Avec la perforatrice, faites un œil dans chaque poisson. Nul besoin d'être précis, c'est encore mieux si les poissons ne sont pas tous identiques !

3. Remplissez une grande assiette d'eau froide et immergez pendant 10 secondes chaque poisson en papier aquarelle.

SUITE >>>

4. Sortez le poisson de l'eau et posez-le sur une feuille de papier essuie-tout. Prenez le pinceau et trempez-le dans l'encre. Dessinez ensuite un trait le long du ventre. L'encre va déteindre et la couleur va s'atténuer. Laissez sécher. Si le passage dans l'eau a fait trop gondoler le papier, n'hésitez pas à l'aplanir avec un coup de fer à repasser à froid.

LA SPHÈRE

5. À l'aide du cutter rotatif, découpez trois disques de papier.

LE MOBILE

6. Disposez les poissons sur une surface propre et plane. Essayez des combinaisons jusqu'à ce que vous soyez satisfait du résultat. Orientez quelques poissons vers la gauche et d'autres vers la droite.

7. Assemblez tous les poissons à la machine à coudre. Pour cela, tirez une longueur de 30 cm de fil en amont de l'aiguille. Placez le premier poisson sous le pied-de-biche. Positionnez l'aiguille à peu près au milieu du dos. Cousez lentement avec de longs points droits. Au moment d'atteindre le bord du ventre, arrêtez la machine. Soulevez le pied-de-biche et posez le poisson suivant tout contre le premier. Abaissez le pied-de-biche et continuez à coudre.

8. Cousez ainsi tous les poissons. Empilez ensuite les trois disques de la sphère. Placez-les tout contre le dernier poisson. Cousez les disques de part en part. Ouvrez les demi-disques pour obtenir une sphère.

9. Avec les 30 cm de fil réservé, suspendez le mobile.

VARIANTE

Vous pouvez réaliser des mobiles différents en appliquant la même méthode. Par exemple, découpez de simples bandelettes de 3 x 15 cm dans des papiers de couleurs ou encore les lettres d'un prénom.

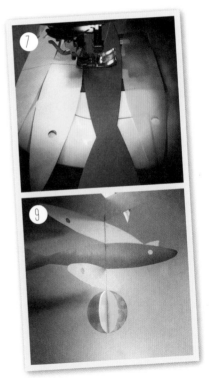

Un cadre rococo

On a du mal à croire que ce cadre est réalisé en papier kraft. Ses lignes pures et ses courbes élégantes font complètement oublier ses humbles origines.

Pour un cadre
- Du carton pour les gabarits
- Un vieux miroir ou un tableau
- Du carton pour passe-partout
- Un crayon à papier
- Une règle
- Un cutter (ou scalpel)
- Un tapis de découpe
- De la colle PVA
- Un vieux morceau de carton ou une spatule
- Du papier kraft
- Des perforatrices en forme de fleur de deux tailles différentes
- Du carton ondulé marron
- Du papier à motifs argenté et doré
- De l'adhésif en aérosol
- Du carton fin marron
- Des ciseaux à cranter
- Un pistolet à colle

LE CADRE

1. Posez le miroir ou le tableau à encadrer sur le carton pour passe-partout. Tracez-en les contours.

2. Marquez des repères à 1 cm à l'extérieur et 2 cm à l'intérieur des traits de contour. Tracez des traits. Ce sont les repères de découpe.

3. Avec un cutter, évidez l'intérieur du cadre, puis ôtez le carton qui dépasse de la bordure extérieure.

VARIANTE

Ce cadre s'adapte à n'importe quelle forme. Si vous avez un vieux cadre en bois à relooker, décorez-le avec les ornements et les fleurs en papier.

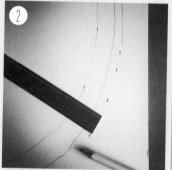

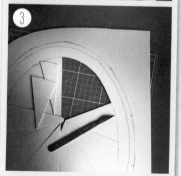

SUITE >>>

4. Recouvrez une surface du cadre d'une fine couche de colle PVA. Déposez-la directement avec le flacon, puis étalez-la uniformément avec un morceau de carton ou une spatule.

5. Posez un morceau de papier kraft sur une surface plane. Placez le cadre par-dessus, face encollée vers la table.

6. Retournez le tout puis lissez tous les plis et bulles. L'aspect un peu plissé disparaîtra quand la colle aura séché. Laissez sécher.

LA DÉCORATION

7. Réalisez les fleurs et les ornements en papier. Pour cela, vous pouvez utiliser les perforatrices en forme de fleur ou le gabarit (voir p. 124). Découpez cinq grandes fleurs et dix petites dans le papier kraft, le carton ondulé, et les papiers doré et argenté. Pincez chaque pétale pour donner du relief aux fleurs.

8. Collez le papier kraft au carton fin marron avec de l'adhésif en aérosol. À l'aide des gabarits (voir p. 124), découpez un ornement de chaque type : A, B et C. Retournez les gabarits des ornements A et B, puis découpez deux autres formes

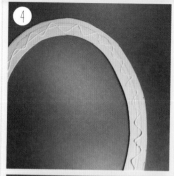

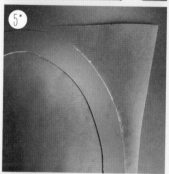

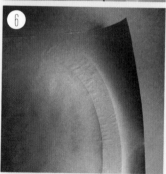

qui seront des images inversées des ornements.

9. Rainez le carton fin en suivant les pointillés. Pliez les ornements pour leur donner du relief. Commencez à la pointe, puis progressez le long de chaque courbe.

10. Réalisez des feuilles à l'aide des gabarits (voir p. 124). Découpez-en certaines aux ciseaux à cranter. Pliez chaque feuille le long de la nervure centrale pour lui donner du relief.

11. Commencez le montage du cadre. Pour cela, coupez tout le papier kraft qui dépasse du cadre. Placez ensuite les ornements les plus grands en haut du cadre et les plus petits en bas. Arrangez les fleurs et les feuilles tout autour. Quand vous serez satisfait du résultat, fixez tous les éléments avec le pistolet à colle.

12. Froissez des petits morceaux de papier pour fabriquer le cœur des fleurs. Puis collez-les au pistolet à colle.

13. Si vous fixez le cadre à un miroir, vous pouvez utiliser le pistolet à colle directement sur la glace. Si vous encadrez un tableau, préférez le ruban de masquage.

*L'envers du cadre est presque du même bleu que la table, ce qui peut créer une illusion d'optique.

Les rosettes géantes

Pour trois rosettes de tailles différentes

- Des lés de papier peint (voir ci-dessous)
- Un crayon à papier
- Un cutter (ou scalpel)
- Une règle en métal
- Un tapis de découpe
- Une agrafeuse
- De l'adhésif double face
- Du ruban ou une ficelle
- Du ruban adhésif

Pour une grande rosette (50 cm de diamètre) :
- Une bande de 10 × 40 cm
- Deux bandes de 11 × 90 cm
- Quatre bandes de 11 × 100 cm

Pour une rosette moyenne (40 cm de diamètre) :
- Une bande de 8 × 20 cm
- Deux bandes de 9 × 70 cm
- Quatre bandes de 9 × 80 cm

Pour une petite rosette (24 cm de diamètre) :
- Une bande de 5 × 15 cm
- Deux bandes de 6 × 40 cm
- Quatre bandes de 6 × 50 cm

Ces rosettes géantes, inspirées de celles qui ornent les paquets cadeaux, feront une impressionnante décoration murale et donneront un air de fête à votre salon. Grâce à elles, vous offrirez une seconde vie aux lés de papier peint que vous gardiez en réserve.

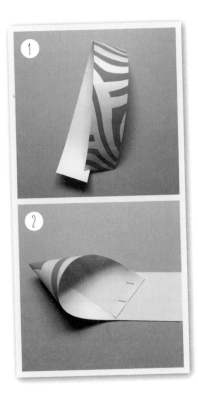

CHAQUE ROSETTE

1. Pliez en deux une des plus longues bandes de papier peint pour en déterminer le milieu.

2. Repliez une extrémité de la bande comme indiqué sur la photo puis agrafez-la au niveau du pli central.

REMARQUE

Avec un cutter, une règle en métal et un tapis de découpe, découpez des bandes de papier peint pour réaliser des grandes, moyennes et petites rosettes.

SUITE >>>

3. Faites de même avec l'autre extrémité de la bande de papier peint.

4. Répétez les étapes 1 à 3 avec l'autre bande de même longueur. Posez deux morceaux d'adhésif double face au verso de la seconde bande. Posez-la perpendiculairement à la première. Fixez-la à l'intérieur de celle-ci. Vous obtenez ainsi la première strate de la rosette.

5. Reproduisez les étapes 1 à 4 avec les deux autres bandes de taille identique. Placez-les à l'intérieur de la première strate en quinconce. Fixez-les avec de l'adhésif double face comme à l'étape 4.

6. Reprenez les étapes 1 à 4 avec les deux bandes plus courtes. Insérez-les à l'intérieur de la rosette en quinconce.

7. Enroulez sur elle-même la plus petite bande de papier sans la serrer et agrafez-en les extrémités. Fixez un peu de ruban adhésif double face au verso et collez-la au centre de la rosette.

8. Attachez une longueur de ruban ou de ficelle au dos de chaque rosette avec de l'adhésif résistant. La rosette est prête à décorer votre mur.

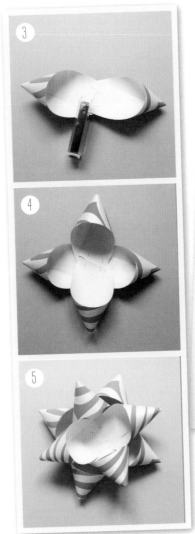

Une guirlande de nœuds

Grâce à cette guirlande, vous transformerez de simples fournitures de bureau en une sympathique décoration (même si, pour être honnête, aucune fourniture n'est jamais insignifiante pour moi !).

FOURNITURES

Pour une guirlande
- Du papier kraft
- Un cutter (ou scalpel) et un tapis de découpe
- Une règle en métal
- Des autocollants ronds blancs, violets et jaune fluo
- Des œillets blancs
- Du carton pour les gabarits
- Un crayon à papier
- Des trombones
- Des ciseaux
- Une feuille de transfert de colle ou de l'adhésif double face
- Des pastilles adhésives
- Une aiguille
- 1 m de ficelle de boulanger ou de fil à broder de la couleur de votre choix

LES NŒUDS

1. Pour une guirlande d'environ 240 cm de long, découpez 30 rectangles de 20 × 22 cm dans du papier kraft. Décorez-les avec des autocollants de couleur et des œillets. Collez-les de façon aléatoire.

2. Pliez un rectangle de papier kraft en deux dans le sens de la largeur. Avec le gabarit (voir p. 123), tracez les contours du nœud sur le papier. Placez son centre sur la ligne de pliage.

3. Pliez les rectangles restants en deux comme précédemment. Superposez-en trois autres en mettant les plis du même côté. Placez le rectangle avec le nœud dessiné au sommet de la pile. Attachez les feuilles avec des trombones puis découpez toutes les épaisseurs avec les ciseaux. Pour éviter les boucles, utilisez plutôt un cutter.

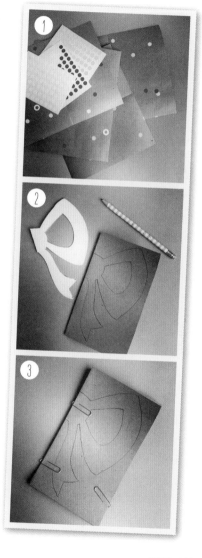

SUITE >>>

〉〉〉

4. Enlevez les trombones et dépliez les nœuds. Faites de même avec tous les rectangles restants.

5. Positionnez un des nœuds, motifs vers vous. Collez un morceau de feuille de transfert de colle ou une étroite bandelette d'adhésif double face en son centre, par-dessus le pli.

6. Posez un autre nœud par-dessus, motifs vers la surface de travail. Les deux nœuds sont joints par leur milieu.

7. Répétez l'opération avec les autres nœuds jusqu'à ce que vous ayez 15 paires. Collez chaque fois leur face décorée l'une contre l'autre.

LA GUIRLANDE

8. Placez une paire de nœuds sur une surface propre et plane. Posez une pastille adhésive au milieu des boucles droite et gauche. Déposez une autre paire par-dessus. Appuyez bien.

9. Assemblez ainsi toutes les paires. Quand vous soulèverez le premier nœud, les autres suivront comme un accordéon.

10. Quand vous arriverez à la dernière paire, utilisez une pastille adhésive pour joindre leurs dernières boucles. Passez ensuite l'aiguille et la ficelle de boulanger ou le fil à broder à travers le centre de la pastille en laissant une longueur d'environ 1 m pour suspendre la guirlande. Faites de même à l'autre extrémité.

Les incroyables acrobates

Admirez le numéro d'Anna, Arabella et Adèle qui n'hésiteront pas à se balancer à des hauteurs vertigineuses pour votre plus grand plaisir.

Pour chaque acrobate
- Un crayon à papier
- Du carton pour les gabarits
- Un cutter (ou scalpel) et un tapis de découpe
- Une feuille A4 de papier d'une épaisseur moyenne, couleur chair des deux côtés (pour le corps)
- Des morceaux de papiers colorés et à motifs pour le justaucorps, les chaussures et les plumes
- Des morceaux de papiers unis pour les cheveux, de la couleur désirée
- Un bâtonnet de colle
- Des bijoux autocollants
- Des ciseaux
- De l'adhésif double face étroit
- Des ciseaux à cranter de formes variées
- Un rectangle de 6 × 26 cm de papier de soie coloré
- Un rectangle de 4 × 26 cm de papier de soie d'une autre couleur
- Une aiguille
- Du fil argenté

Pour la lune
- Un carré de 20 cm de côté de carton doré (sur les deux faces)

CHAQUE ACROBATE

1. Reportez les gabarits (voir p. 125) sur le carton. Avec le cutter, découpez les corps dans le papier de couleur chair et tous les autres éléments dans les papiers de couleur. Si vous utilisez du papier avec des motifs sur une face, pour les chaussures ou le justaucorps par exemple, assurez-vous que les motifs sont dans le bon sens.

LES ACROBATES AÉRIENNES

2. Pour le montage d'Anna ou Arabella, les acrobates aériennes, servez-vous d'un bâtonnet de colle pour fixer le justaucorps, les cheveux et les chaussures.

3. Ajoutez des bijoux autocollants sur les poignets, le cou et les cheveux. Pliez ensuite chaque plume en deux dans le sens de la longueur et faites des incisions sur les bords. Retirez-en des petits triangles de papier pour accentuer la forme. Fixez les plumes sur SUITE >>> les personnages.

4. Pour les jupes, posez un morceau d'adhésif double face autour de la taille des acrobates. Découpez-le en suivant la forme du justaucorps puis retirez la pellicule de l'adhésif.

5. Prenez le plus grand rectangle en papier de soie. Redécoupez une longueur avec des ciseaux à cranter pour obtenir une bordure fantaisie. Froncez le papier de soie tout en le fixant sur l'adhésif ; commencez par le dos de l'acrobate puis faites le tour de la taille.

6. Répétez les étapes 4 à 5 avec l'autre morceau de papier de soie.

7. Collez la ceinture par-dessus la jupe pour dissimuler les bords irréguliers.

8. Pour suspendre ces jolies acrobates, enfilez une aiguille et du fil argenté à travers le sommet de la tête. Suspendez-les à un crochet ou une punaise plantée au plafond.

LA JEUNE FILLE SUR LA LUNE

9. Pour confectionner Adèle, répétez les étapes 1 à 3, puis collez-la sur la lune que vous aurez découpée dans le carton doré (voir p. 125).

10. Pour la traîne, découpez une longueur de 8 cm d'adhésif double face. Posez-le sur la surface de travail, face collante vers vous. Enlevez 6 cm à la longueur du rectangle de papier de soie le plus étroit. Redécoupez ses bords aux ciseaux à cranter fantaisie ou non. Découpez ensuite l'une de ses extrémités en arrondi. Froncez le papier de soie sur l'adhésif.

11. Redécoupez le rectangle de papier de soie le plus large de sorte qu'il ait la même largeur que le plus petit. Retirez la pellicule de l'adhésif sur lequel se trouve déjà le premier rectangle de soie. Froncez sur ce côté le premier tiers du rectangle de papier de soie par-dessus. Continuez à froncer le reste du rectangle au-delà de l'adhésif et collez-le au pied d'Adèle avec de la colle. Découpez un cœur, puis collez-le par-dessus, au bas du dos. Ajoutez aussi quelques décorations.

12. Suspendez-la en enfilant une aiguille et du fil au sommet de la lune.

Les animaux du Colorado

Page 14

Ces gabarits sont à taille réelle.

[trait continu] Découpez   [trait pointillé] Pliez

Des rennes dans le salon*

Page 84

En vous aidant du quadrillage, tracez les contours de la tête et du corps sur du carton. Agrandissez, 1 cm² = 7 cm².

Ce gabarit est aussi utilisé pour les rennes de la page 16.

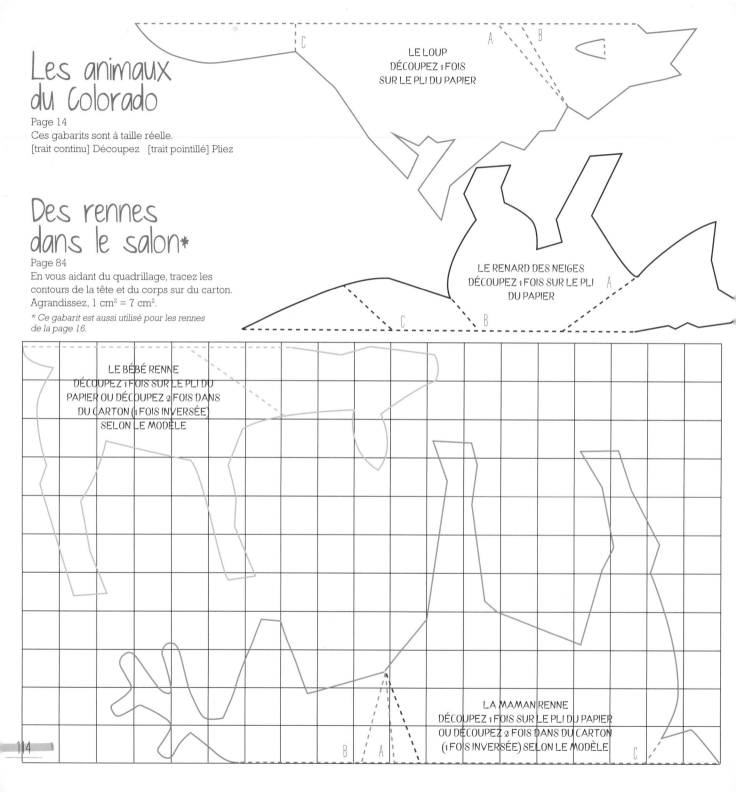

LE LOUP
DÉCOUPEZ 1 FOIS
SUR LE PLI DU PAPIER

LE RENARD DES NEIGES
DÉCOUPEZ 1 FOIS SUR LE PLI
DU PAPIER

LE BÉBÉ RENNE
DÉCOUPEZ 1 FOIS SUR LE PLI DU
PAPIER OU DÉCOUPEZ 2 FOIS DANS
DU CARTON (1 FOIS INVERSÉE)
SELON LE MODÈLE

LA MAMAN RENNE
DÉCOUPEZ 1 FOIS SUR LE PLI DU PAPIER
OU DÉCOUPEZ 2 FOIS DANS DU CARTON
(1 FOIS INVERSÉE) SELON LE MODÈLE

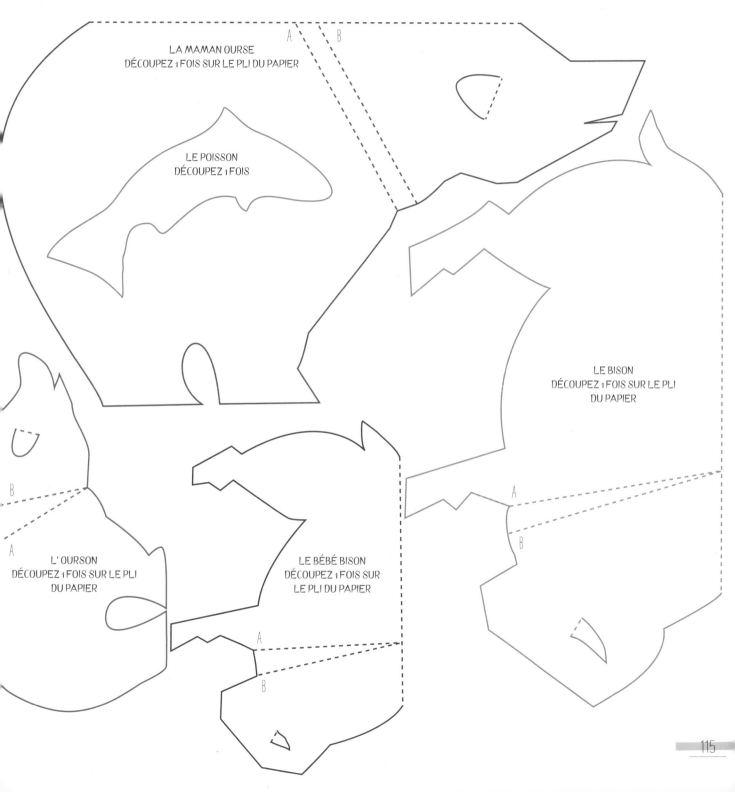

LA MAMAN OURSE
DÉCOUPEZ 1 FOIS SUR LE PLI DU PAPIER

A   B

LE POISSON
DÉCOUPEZ 1 FOIS

LE BISON
DÉCOUPEZ 1 FOIS SUR LE PLI
DU PAPIER

B

A

A

B

L' OURSON
DÉCOUPEZ 1 FOIS SUR LE PLI
DU PAPIER

LE BÉBÉ BISON
DÉCOUPEZ 1 FOIS SUR
LE PLI DU PAPIER

A

B

Les pigeons voyageurs

Page 22
Ces gabarits sont à taille réelle.
—— Découpez
– – – Pliez

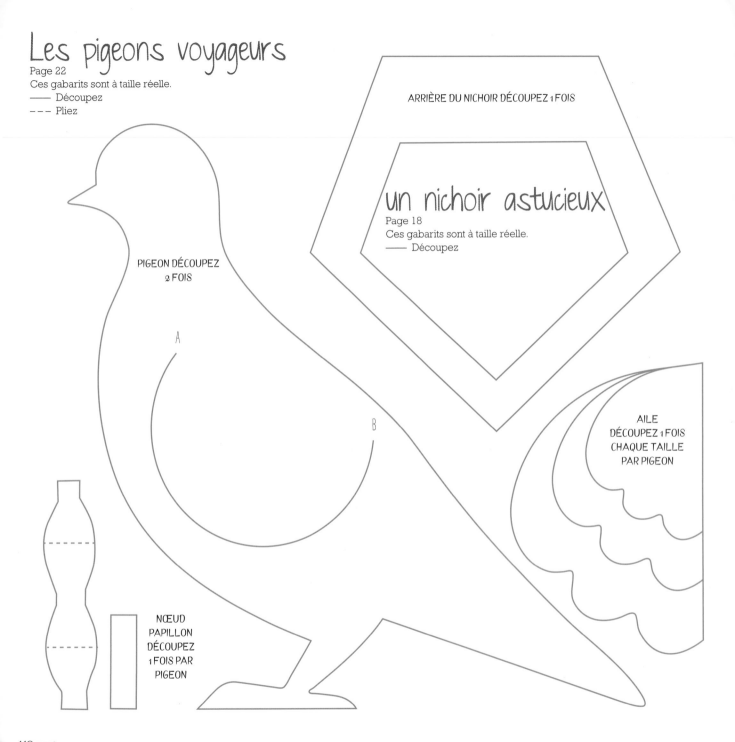

ARRIÈRE DU NICHOIR DÉCOUPEZ 1 FOIS

un nichoir astucieux

Page 18
Ces gabarits sont à taille réelle.
—— Découpez

PIGEON DÉCOUPEZ
2 FOIS

A

B

AILE
DÉCOUPEZ 1 FOIS
CHAQUE TAILLE
PAR PIGEON

NŒUD
PAPILLON
DÉCOUPEZ
1 FOIS PAR
PIGEON

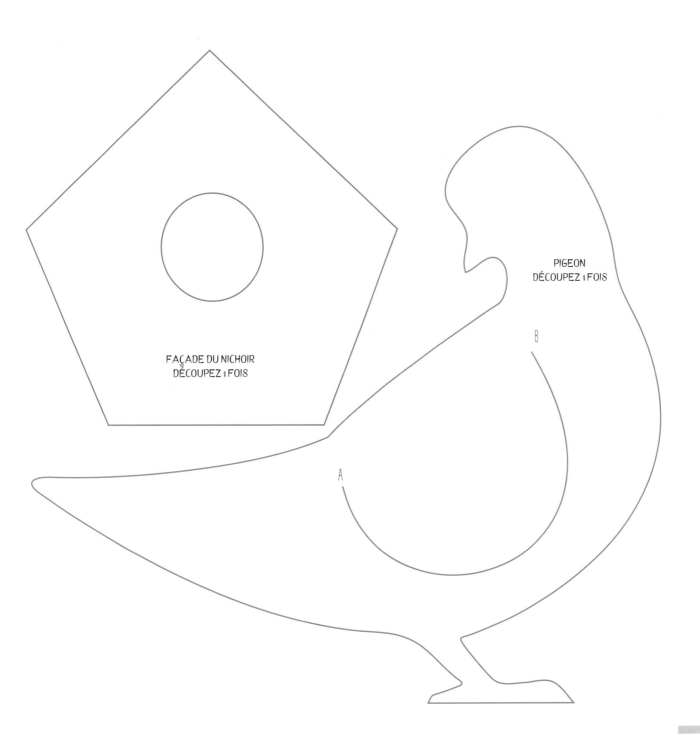

FAÇADE DU NICHOIR
DÉCOUPEZ 1 FOIS

PIGEON
DÉCOUPEZ 1 FOIS

A

B

Une cage pop-up

Page 32

Ces gabarits sont à taille réelle.
—— Découpez   – – – Pliez

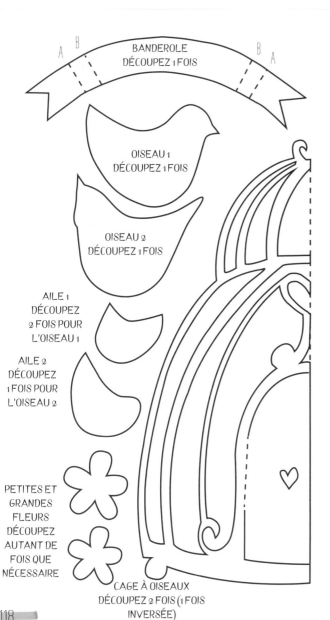

A B   BANDEROLE   B A
DÉCOUPEZ 1 FOIS

OISEAU 1
DÉCOUPEZ 1 FOIS

OISEAU 2
DÉCOUPEZ 1 FOIS

AILE 1
DÉCOUPEZ
2 FOIS POUR
L'OISEAU 1

AILE 2
DÉCOUPEZ
1 FOIS POUR
L'OISEAU 2

PETITES ET
GRANDES
FLEURS
DÉCOUPEZ
AUTANT DE
FOIS QUE
NÉCESSAIRE

CAGE À OISEAUX
DÉCOUPEZ 2 FOIS (1 FOIS
INVERSÉE)

Des petits carnets reliés

Page 38

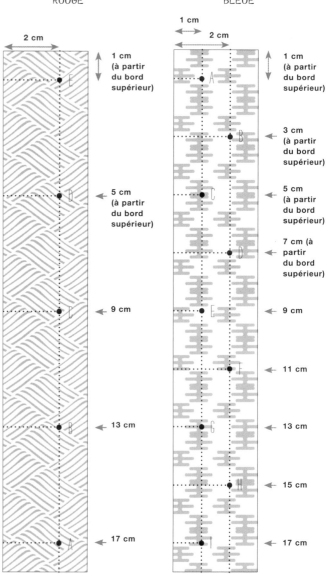

CARNET À LA RELIURE
ROUGE

2 cm

← 1 cm
(à partir
du bord
supérieur)

E

← 5 cm
(à partir
du bord
supérieur)

D

← 9 cm

C

← 13 cm

B

← 17 cm

A

CARNET À LA RELIURE
BLEUE

1 cm

2 cm

← 1 cm
(à partir
du bord
supérieur)

A

← 3 cm
(à partir
du bord
supérieur)

B

← 5 cm
(à partir
du bord
supérieur)

C

← 7 cm (à
partir
du bord
supérieur)

D

← 9 cm

E

← 11 cm

F

← 13 cm

G

← 15 cm

H

← 17 cm

I

CARNET À LA RELIURE MARRON

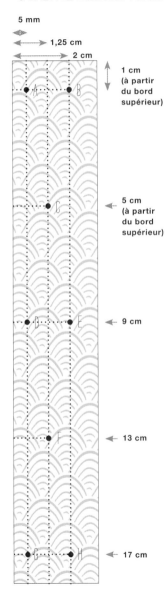

5 mm

1,25 cm

2 cm

1 cm
(à partir
du bord
supérieur)

A   B

5 cm
(à partir
du bord
supérieur)

C

B   E ← 9 cm

F ← 13 cm

G   H ← 17 cm

FABRIQUER LE CARNET À RELIURE BLEUE

Suivez les étapes 1 à 5 (voir p. 40) pour confectionner l'intérieur du carnet. Reportez-vous au schéma correspondant à la reliure bleue quand vous devrez marquer les emplacements des futurs trous. Enfilez la ficelle dans l'aiguille. Placez-vous au niveau du bord supérieur du carnet et commencez la reliure.

1. Faites entrer la ficelle dans le trou A par-derrière. Faites-la passer autour du dos et ramenez-la dans A par-derrière.

2. Insérez la ficelle dans B par-devant. Faites-lui faire le tour du dos et glissez-la de nouveau dans B par-devant.

3. Faites-la passer dans C par-derrière, puis autour du dos et repassez dans C par-derrière.

4. Amenez-la dans D par-devant, puis autour du dos et revenez dans D par-devant.

5. Glissez la ficelle dans E par-derrière, puis faites-lui faire le tour du dos et ramenez-la dans E par-derrière.

6. Poursuivez ainsi jusqu'à atteindre le trou I (dans lequel la ficelle doit entrer par-derrière). Entourez le dos, puis rétablissez les liens manquants entre les trous en remontant vers le bord supérieur du carnet. Nouez la ficelle entre les trous A et B, puis découpez-en soigneusement les extrémités.

FABRIQUER LE CARNET À RELIURE MARRON

Suivez les étapes 1 à 5 (voir p. 40) pour confectionner l'intérieur du carnet. Reportez-vous au schéma correspondant à la reliure marron quand vous devrez marquer les emplacements des futurs trous. Il est conseillé d'agrandir un peu les trous

dans la mesure où l'aiguille va passer plusieurs fois dans chacun d'eux. Enfilez la ficelle dans l'aiguille. Placez-vous au niveau du bord supérieur du carnet et commencez la reliure.

1. Faites entrer la ficelle dans le trou A par-derrière. Faites-la passer autour du dos et ramenez-la dans A par-derrière.

2. Faites-la glisser dans C par-devant, puis autour du dos et revenez dans C par-devant.

3. Amenez-la dans D par-derrière, puis autour du dos et repassez dans D par-derrière.

4. Glissez la ficelle dans F par-devant, puis faites-lui faire le tour du dos et ramenez-la dans F par-devant.

5. Insérez-la dans G par-derrière. Faites-lui faire le tour du dos et glissez-la de nouveau dans G par-derrière.

6. Introduisez-la dans H par-devant, puis remontez la ficelle jusqu'au trou F et faites-la passer dans F par-derrière.

7. Faites-la entrer dans E par-devant, puis ressortir au trou C par-devant.

8. Glissez-la dans B par-devant, puis ressortez-la en A par-devant.

9. Retournez dans le trou B par-devant, puis ressortez l'aiguillée en C par-devant.

10. Glissez la ficelle dans E par-devant, puis sortez-la en F par-devant.

11. Amenez-la dans H par-devant, puis entrez dans G par-derrière.

12. Faites-la passer dans le trou F par-devant, puis remonter vers D, et entrez dans D par-derrière.

13. Terminez en entrant dans C par-devant. Nouez ensuite les extrémités de la ficelle entre A et C au verso du carnet.

Un bouquet d'anémones et de camélias

Page 46

Ces gabarits sont à taille réelle.

—— Découpez

Une guirlande fleurie

Page 50

Ces gabarits sont à taille réelle.

—— Découpez   - - - Pliez

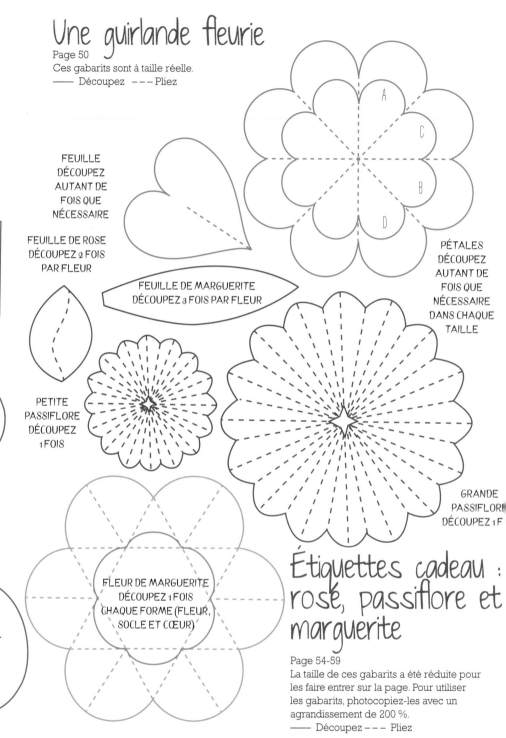

PÉTALE D'ANÉMONE
DÉCOUPEZ 1 FOIS POUR LE GABARIT

PÉTALE 1 DE CAMÉLIA
DÉCOUPEZ 1 FOIS POUR LE GABARIT

PÉTALE 2 DE CAMÉLIA
DÉCOUPEZ 1 FOIS POUR LE GABARIT

PÉTALE 3 DE CAMÉLIA
DÉCOUPEZ 1 FOIS POUR LE GABARIT

FEUILLE
DÉCOUPEZ
AUTANT DE
FOIS QUE
NÉCESSAIRE

FEUILLE DE ROSE
DÉCOUPEZ 2 FOIS
PAR FLEUR

FEUILLE DE MARGUERITE
DÉCOUPEZ 3 FOIS PAR FLEUR

PETITE
PASSIFLORE
DÉCOUPEZ
1 FOIS

FLEUR DE MARGUERITE
DÉCOUPEZ 1 FOIS
CHAQUE FORME (FLEUR,
SOCLE ET CŒUR)

PÉTALES
DÉCOUPEZ
AUTANT DE
FOIS QUE
NÉCESSAIRE
DANS CHAQUE
TAILLE

GRANDE
PASSIFLORE
DÉCOUPEZ 1 F

Étiquettes cadeau : rose, passiflore et marguerite

Page 54-59

La taille de ces gabarits a été réduite pour les faire entrer sur la page. Pour utiliser les gabarits, photocopiez-les avec un agrandissement de 200 %.

—— Découpez - - - Pliez

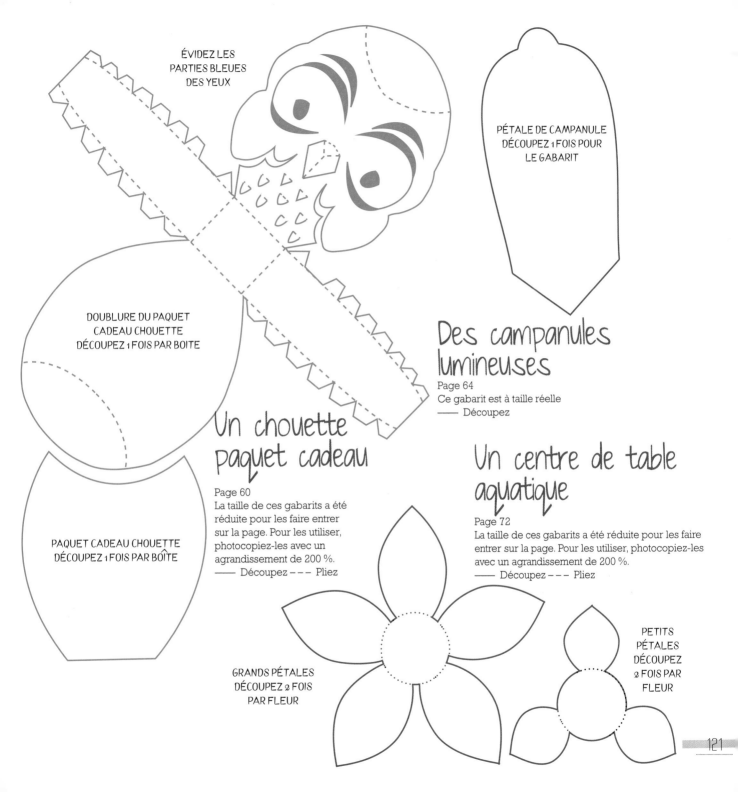

ÉVIDEZ LES
PARTIES BLEUES
DES YEUX

PÉTALE DE CAMPANULE
DÉCOUPEZ 1 FOIS POUR
LE GABARIT

DOUBLURE DU PAQUET
CADEAU CHOUETTE
DÉCOUPEZ 1 FOIS PAR BOÎTE

Des campanules lumineuses

Page 64
Ce gabarit est à taille réelle
—— Découpez

Un chouette paquet cadeau

Page 60
La taille de ces gabarits a été
réduite pour les faire entrer
sur la page. Pour les utiliser,
photocopiez-les avec un
agrandissement de 200 %.
—— Découpez – – – Pliez

Un centre de table aquatique

Page 72
La taille de ces gabarits a été réduite pour les faire
entrer sur la page. Pour les utiliser, photocopiez-les
avec un agrandissement de 200 %.
—— Découpez – – – Pliez

PAQUET CADEAU CHOUETTE
DÉCOUPEZ 1 FOIS PAR BOÎTE

GRANDS PÉTALES
DÉCOUPEZ 2 FOIS
PAR FLEUR

PETITS
PÉTALES
DÉCOUPEZ
2 FOIS PAR
FLEUR

Une étoile sur un mur...

Page 68
La taille de ce gabarit a été réduite. Pour l'étoile sur le mur, photocopiez-le avec un agrandissement de 200 %. Pour une guirlande, photocopiez-le à 100 %, 70 % ou 50 %.
——— Découpez

Un mobile à plumes

Page 86
Ces gabarits sont à taille réelle.
——— Découpez – – – Pliez

ÉTOILE
DÉCOUPEZ AUTANT DE FOIS QUE NÉCESSAIRE

PLUME 1
DÉCOUPEZ
AUTANT DE FOIS
QUE NÉCESSAIRE

PLUME 2
DÉCOUPEZ
AUTANT DE FOIS
QUE NÉCESSAIRE

DRAPEAU
DÉCOUPEZ AUTANT DE
FOIS QUE NÉCESSAIRE

À l'ombre des arbres

Page 80
Ces gabarits sont à taille réelle.
——— Découpez
– – – Pliez

AILE
DÉCOUPEZ 1 FOIS

OISEAU
DÉCOUPEZ
1 FOIS

La guirlande prénom

Page 36
Ces gabarits sont à taille réelle.
——— Découpez

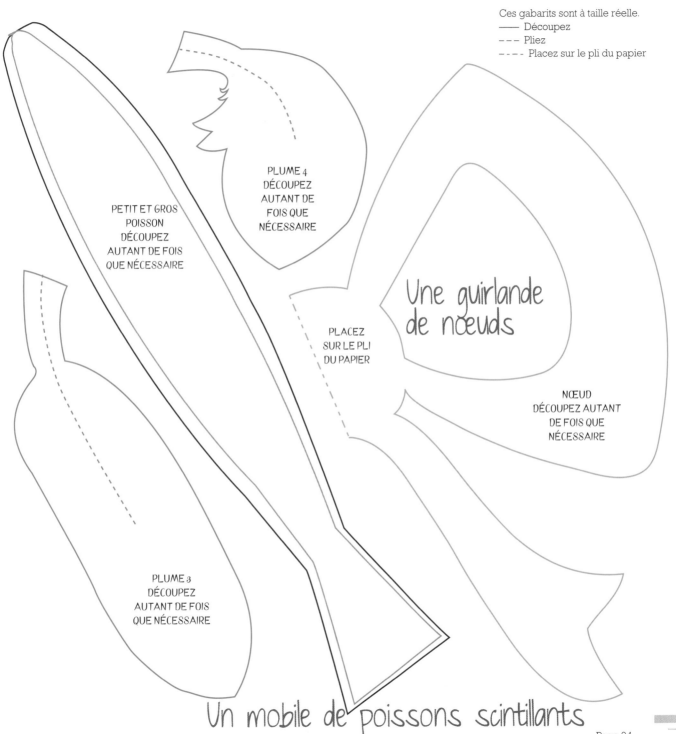

Ces gabarits sont à taille réelle.
—— Découpez
--- Pliez
---- Placez sur le pli du papier

PLUME 4
DÉCOUPEZ
AUTANT DE
FOIS QUE
NÉCESSAIRE

PETIT ET GROS
POISSON
DÉCOUPEZ
AUTANT DE FOIS
QUE NÉCESSAIRE

Une guirlande
de nœuds

PLACEZ
SUR LE PLI
DU PAPIER

NŒUD
DÉCOUPEZ AUTANT
DE FOIS QUE
NÉCESSAIRE

PLUME 3
DÉCOUPEZ
AUTANT DE FOIS
QUE NÉCESSAIRE

Un mobile de poissons scintillants

FEUILLE 1
DÉCOUPEZ AUTANT DE
FOIS QUE NÉCESSAIRE

Un cadre rococo

Page 98
Ces gabarits sont à taille réelle.
—— Découpez
--- Rainez

PETITE ET GRANDE FLEUR
DÉCOUPEZ AUTANT DE FOIS
QUE NÉCESSAIRE

ORNEMENT B
DÉCOUPEZ 2 FOIS
(1 FOIS INVERSÉE)

ORNEMENT A
DÉCOUPEZ 2 FOIS
(1 FOIS INVERSÉE)

ORNEMENT C
DÉCOUPEZ 1 FOIS

FEUILLE 2
DÉCOUPEZ AUTANT DE FOIS QUE
NÉCESSAIRE

Les incroyables acrobates

Page 110
La taille de ces gabarits a été réduite. Pour les utiliser, photocopiez-les en les agrandissant à 200 %.
—— Découpez

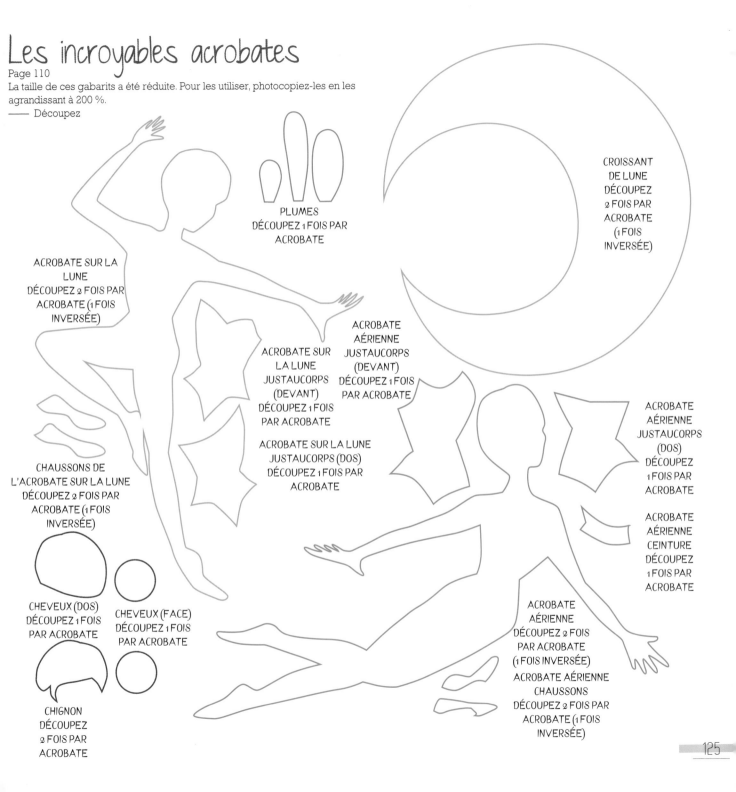

PLUMES
DÉCOUPEZ 1 FOIS PAR
ACROBATE

CROISSANT
DE LUNE
DÉCOUPEZ
2 FOIS PAR
ACROBATE
(1 FOIS
INVERSÉE)

ACROBATE SUR LA
LUNE
DÉCOUPEZ 2 FOIS PAR
ACROBATE (1 FOIS
INVERSÉE)

ACROBATE SUR
LA LUNE
JUSTAUCORPS
(DEVANT)
DÉCOUPEZ 1 FOIS
PAR ACROBATE

ACROBATE
AÉRIENNE
JUSTAUCORPS
(DEVANT)
DÉCOUPEZ 1 FOIS
PAR ACROBATE

ACROBATE
AÉRIENNE
JUSTAUCORPS
(DOS)
DÉCOUPEZ
1 FOIS PAR
ACROBATE

ACROBATE SUR LA LUNE
JUSTAUCORPS (DOS)
DÉCOUPEZ 1 FOIS PAR
ACROBATE

CHAUSSONS DE
L'ACROBATE SUR LA LUNE
DÉCOUPEZ 2 FOIS PAR
ACROBATE (1 FOIS
INVERSÉE)

ACROBATE
AÉRIENNE
CEINTURE
DÉCOUPEZ
1 FOIS PAR
ACROBATE

CHEVEUX (DOS)
DÉCOUPEZ 1 FOIS
PAR ACROBATE

CHEVEUX (FACE)
DÉCOUPEZ 1 FOIS
PAR ACROBATE

ACROBATE
AÉRIENNE
DÉCOUPEZ 2 FOIS
PAR ACROBATE
(1 FOIS INVERSÉE)

ACROBATE AÉRIENNE
CHAUSSONS
DÉCOUPEZ 2 FOIS PAR
ACROBATE (1 FOIS
INVERSÉE)

CHIGNON
DÉCOUPEZ
2 FOIS PAR
ACROBATE

Carnet d'adresses

ADHÉSIF EN PAPIER WASHI
www.maskingtape.fr
Pour toutes vos envies d'adhésifs.

BLADE RUBBER
www.bladerubberstamps.co.uk
Un magasin londonien dont la boutique
en ligne offre un choix de magnifiques
tampons encreurs et d'accessoires pour
le scrapbooking.

10 DOIGTS
www.10doigts.fr
Vous trouverez sur ce site tout ce qu'il vous
faut pour pratiquer des activités manuelles,
y compris des fournitures et accessoires
pour travailler le papier.

BUTTINETTE
www.buttinette.com
Un site qui propose une gamme étendue
de papiers, mais aussi des outils de
découpe et de nombreux accessoires.

CREAVEA.COM
www.creavea.com
Un site entièrement dédié à la décoration
et aux loisirs créatifs présentant un vaste
choix d'accessoires, dont des tampons
encreurs aux innombrables motifs.

FIFI MANDIRAC
www.fifimandirac.com
Un site où l'on trouve de jolis papiers
à origami et des carnets aux motifs
originaux.

LE GÉANT DES BEAUX-ARTS
www.geant-beaux-arts.fr
Essentiellement présente sur Internet,
cette enseigne propose un grand choix de
papiers et des outils de base pour
le transformer.

Boutiques :
Bordeaux : 2, rue du Parlement
Sainte-Catherine
Lyon : 12, rue Clément-Marot
Montpellier : 1464, avenue de l'Europe
34170 Castelnau-le-Lez
Nantes : 44, boulevard du Massacre
44800 St-Herblain
Nice : 20, rue Gubernatis
Paris : 166, rue de la Roquette, 75011
ou 15, rue Vergniaud, 75013
Strasbourg : 91, route des Romains

ELLA JOHNSTON
ellajohnston.wordpress.com
Ce blog en anglais présente le travail de
cette artiste et illustratrice de talent.

ADELINE KLAM
www.adelineklam.com
Sur ce site de la créatrice, vous trouverez
de jolis papiers japonais, de la papeterie
ainsi que des fournitures.
Boutique : 54, boulevard Richard-Lenoir,
75011 Paris

MALINELLE
www.malinelle.com
Cette boutique en ligne est spécialisée
dans les loisirs créatifs et le scrapbooking.

MUJI
www.muji.eu
Une bonne adresse pour trouver des
petites règles en métal et des rangements
de bureau parfaits pour conserver vos
papiers bien à l'abri.

POLICES GRATUITES EN LIGNE
Il existe de nombreux sites proposant
des polices à télécharger gratuitement.
Pour commencer, vous pouvez essayer :
www.dafont.com/fr
www.policedecriture.com

ROUGIER & PLÉ
www.rougier-ple.fr
Un grand choix de papiers, d'outils et
d'accessoires pour créer et s'amuser.

Aux éditions Eyrolles

Dans la même collection

C. Leech, *B comme Broderie*, 2014

C. Leech, *F comme Feutrine*, 2014

R. Badger, *C comme Crochet*, 2014

Papier et cartonnage

Clare Youngs, *À la page – L'art de détourner les pages en créations originales,* 2014

Sosumi, *Des idées plein les cartons – Petit mobilier en carton à fabriquer soi-même,* 2014

S. Dolin et A. Lapidow, *L'atelier de reliure créative,* 2013

K. Finch, *Techniques de création de pop-up*, 2013

L. Gachet, *Make my party – Do it yourself, recettes et plus encore…,* 2013

J. Marguerite, É. Guiomar et F. Guiomar, *Créer son mobilier en carton*, vol. 3, 2013

J. Stein, *Relier Créer ses carnets à partir de matériaux recyclés et détournés*, 2013

H. Read-Baldrey et C. Leech, *Tout sur Alice – 50 créations au pays des merveilles,* 2012

J. Thompson, *Détourner les pages – L'art de recycler, déconstruire et réinventer le livre,* 2011

K. Bigeard, *Atelier cartonnage – Une année de boîtes à bijoux,* 2011

É. Guiomar, *Créer son mobilier en carton*, vol. 2, 2009

É. Guiomar et la compagnie Bleuzen, *Créer son mobilier en carton*, vol. 1, 2007

Titre original en anglais : Scissors, Paper, Craft
Traduction française : Ève Vila
Révision : Astrid Lauzet

© 2013 Quadrille Publishing Ltd
Texte, créations et illustrations © 2013 Christine Leech
Photographies © 2013 Keiko Oikawa
Création graphique © 2013 Quadrille Publishing Ltd

Première publication en Grande-Bretagne par
Quadrille Publishing Ltd
Alhambra House
27–31 Charing Cross Road
London WC2H 0LS
www.quadrille.co.uk

© 2014, Groupe Eyrolles
pour les éditions en langue française
61, bd Saint-Germain
75240 Paris Cedex 05
www.editions-eyrolles.com

Mise en pages : Marie Housseau

ISBN : 978-2-212-13821-4

Dépôt légal : août 2014
N° d'éditeur : 9152
Imprimé en Chine

MERCI, MERCI, MERCI !

Remerciements

Merci à toute l'équipe de Quadrille, particulièrement à Lisa, Claire et Chinh. Je remercie aussi Hilary et Gemma qui ont contribué à la cohérence et à l'esthétique de cet ouvrage.

Un merci à l'adorable Keiko pour ses superbes photos, son calme et sa patience.

Un grand merci à toute ma famille, à ma mère si perspicace, à mon père pour ses talents d'accessoiriste, à Jo pour ses suggestions en matière de papier, à Ian et aux garçons qui ne cessent de m'inspirer par leurs cartes et leurs cadeaux faits main, à ma tante et mon oncle, à ma grand-mère et mon grand-père pour leur soutien, leur confiance, leurs encouragements et leurs conseils.

Merci à Elias et Barry qui m'ont autorisée à piller leur maison pour y dénicher des accessoires.

Toute mon affection va à Jake, Kirsty, Laura, Hannah (les deux) pour avoir écouté mes discours décousus et mes phrases inachevées, et pour avoir supporté mon comportement un brin excessif.

Une pensée particulière pour Rhiannon. Qui aurait pu croire, à l'époque où nous avions notre petit stand à la fête de l'école, que cela m'amènerait jusqu'ici !